MONTAIGNE, DESCA
ET PASCAL

par la dissertation

Bernard Jean
et
François Mouret

MONTAIGNE, DESCARTES ET PASCAL

par la dissertation

'Pour entendre le sens d'un auteur, il faut accorder tous les passages contraires.'

PASCAL (B.684)

MANCHESTER UNIVERSITY PRESS

Published by
Manchester University Press
316–324 Oxford Road
Manchester M13 9NR

ISBN 0 7190 0422 5

Made and printed in Great Britain by
William Clowes and Sons, Limited
London, Beccles and Colchester

PREFACE

Philosophe sans système philosophique, Michel de Montaigne n'en fut pas moins un maître, et qui eut ses disciples, Descartes et Pascal.

Humaniste parmi les humanistes, il s'est pris d'amitié pour la sagesse antique. Il la revit en son siècle agité, tant bien que mal—et plutôt bien que mal. Seul dans sa haute 'librairie', il relate en vulgaire son aventure d'au jour le jour. Et la pensée française fait ses premiers essais.

Car il professe, ce sage tout occupé de soi. Il suffit qu'il soit lui-même 'la matiere de [son] livre'[1] pour qu'aussitôt, à chaque page, se dessine 'la forme entiere de l'humaine condition'.[2] Et cet être, si particulier qu'il est semblable à tous, se pose chaque question que l'homme a inventée. Qui suis-je? Que sais-je? Où suis-je? Où vais-je? Dieu? Aussi: quel est le bien, le juste et l'exemplaire? D'autres encore: faut-il agir? Se faut-il taire? . . . Et ses réponses sont de nouvelles interrogations. Et, tel un sage philosophe, il a tout dit sans rien avoir su affirmer.

Or ce penseur mal assuré, nourri des anciens Grecs et Latins et des modernes Italiens, a ses lecteurs aussi, assidus comme lui et non moins exigeants.

L'honnête homme a succédé au gentilhomme. Alors, un 'cavalier' qui part d'un 'bon pas'[3] et un solitaire de Port-Royal des Champs perpétuent Montaigne en se mettant à son école. René Descartes qui discourt si fermement de la 'méthode pour bien conduire sa raison et chercher la vérité dans les sciences' se serait donné un maître fugitif à la pensée fugace! Blaise Pascal, apologiste, aurait appris de celui-là même qui aima la créature un peu plus que son créateur! Si fait.

Comme tout esprit encore adolescent et qui hésite 'où asseoir sa créance',[4] l'un et l'autre ont eu besoin d'un maître. Chacun pratique les *Essais* en quête de soi-même, y cherche la force de s'affirmer, y trouve l'audace de penser seul, contre tous, contre Montaigne même. Car ils n'ont que faire d'une irrésolution.

[1] Montaigne, *Essais*, I, 'Au Lecteur'.
[2] *Ibid.*, III, ii.
[3] Péguy.
[4] Pascal, *Opuscules*, II, xiv.

A Descartes impatient de connaître le vrai, Montaigne apprend le doute. Alors l'élève doutera. Il doute jusqu'à ne plus pouvoir douter et à être certain, et ferme les *Essais*. Il est bien parti: Montaigne a fait son œuvre.

Curieux d'un témoignage, Pascal lit la somme qu'a laissée l'humaniste sur la nature des êtres: 'c'est trente ans [de] gagnés'.[5] Mais c'est pour accuser aussitôt l'auteur d'avoir 'tort',[6] lui faire grief du 'sot projet'[7] qu'il a eu, proclamer: 'ce n'est pas dans [lui], mais dans moi, que je trouve ce que j'y vois'.[8] Pascal plagie d'autant plus qu'il a mieux entendu sa leçon. Et si, tel Descartes, il jette le livre qui l'a instruit, c'est que lui aussi est un vrai disciple et Montaigne, toujours bon pédagogue.

Ce désaccord fait l'unité du courant de pensée. Car le précepteur philosophe et ses apprentis, désormais passés maîtres, traitent de la nature des mêmes choses. Qu'il doute, sache ou croie,[9] chacun dispute de ce qui préoccupe un être pensant.

'Les abeilles pillotent deçà delà les fleurs, mais elles en font apres le miel, qui est tout leur; ce n'est plus thin ny marjolaine: ainsi les pieces empruntées' à Montaigne, Descartes et Pascal les ont transformées. Chaque disciple les a confondues 'pour en faire un ouvrage tout sien: à sçavoir son jugement'.[10]

Les *Pensées* et le *Discours* sont donc inséparables des *Essais*. Ce livre a engendré les deux autres qui en sont le commentaire généreux. De la rencontre de ces trois esprits date l'ouverture d'une école unique de pensée française. Et séparer Montaigne et Descartes et Pascal serait contredire l'histoire des idées. Plus encore, ce serait appauvrir l'un de la pensée des autres.

Exercice de réflexion logique écrit dans une langue dont la clarté fait l'élégance, la dissertation française, littéraire et philosophique, se compose d'une *introduction*, d'un *développement* et d'une *conclusion* qui servent à commenter et à discuter un sujet constitué par une citation d'auteur, un jugement de critique ou telle idée empruntée au fonds commun de la sagesse humaine.

[5] *Ibid.*, *Pensées*, B. 322; cf. L. Brunschvicg, commentaire des *Opuscules*, II, x.
[6] *Ibid.*, *Pensées*, B. 325.
[7] *Ibid.*, B. 62.
[8] *Ibid.*, B. 64.
[9] Cf. L. Brunschvicg, *Descartes et Pascal Lecteurs de Montaigne*, Neuchâtel, 1945, p. 194.
[10] Montaigne, *Essais*, I, xxvi.

L'INTRODUCTION *présente le sujet* en le rattachant au courant général de pensée dans lequel il s'insère.[11] Il peut être alors souhaitable de *citer la réflexion* qui fait l'objet de la dissertation, soit dans son intégralité si le libellé en est bref, soit partiellement après avoir distingué l'essentiel de l'accessoire.[12] Puis il convient de *définir les termes* qui font difficulté (bon sens, cœur, raison, etc. . . .), afin que le sujet soit compris et puisse être expliqué dans le développement.[13] Il est bon, ensuite, de *suggérer le plan,* sous forme interrogative de préférence, puisque rien encore n'est résolu.[14] Au terme de l'introduction, on aura soin, enfin, de *poser le problème* fondamental que soulève le sujet à traiter, en formulant la vaste question d'ensemble qui se pose à propos d'une maxime toujours un peu particulière.[15]

Le DEVELOPPEMENT est une *démonstration.* Et pour que la pensée progresse de façon probante, il s'articule logiquement de paragraphe en paragraphe. Chacune de ces sections du discours doit alors avoir une valeur démonstrative. Aussi évitera-t-on d'en faire un catalogue, car énumérer n'est pas prouver. Une seule citation, une seule allusion, un seul argument suffisent à justifier une idée. Inversement, on n'émettra aucune opinion qui ne soit appuyée sur un cas précis: une affirmation n'étant pas une preuve. En outre, la progression du raisonnement d'un paragraphe à l'autre est marquée par des transitions qui sont l'expression du rapport logique existant entre ce qui vient d'être établi et ce qui va désormais pouvoir être vérifié.[16]. Des conclusions partielles ponctuent enfin le cours de la réflexion.[17] Il ne saurait donc y avoir d'ordre préétabli.

Toutefois, comme on ne peut critiquer convenablement ce qui n'a été préalablement expliqué, le bon sens veut que l'*exposé du sujet* précède sa discussion. Et de ce fait, la première partie devient un commentaire du jugement proposé, une illustration de ses divers aspects au moyen d'exemples qui montrent qu'effectivement la pensée émise est fondée. L'exposé du sujet est donc l'explication et la

[11] Se reporter en particulier p. 173.
[12] Voir, pp. 1, 74, 167, quelques exemples de sujets cités intégralement et, pp. 14, 56, 125, des réflexions reproduites partiellement.
[13] Si la définition des termes fait difficulté et demande des explications détaillées, il est alors préférable d'en faire l'objet d'un premier point du développement (cf. pp. 20–1).
[14] Voir, entre autres, les introductions pp. 68, 160.
[15] Cf. pp. 149, 173.
[16] Voir par exemple, p. 35, II, B–C, C–III; p. 48, II, B–C; p. 162, II.
[17] Cf. pp. 63, 64; 71, II (fin).

démonstration de la part de vérité que contient la réflexion sur laquelle on est invité à s'interroger.

Une fois achevé ce commentaire qui a fourni tous éclaircissements souhaitables, il est alors possible de faire sensément preuve d'esprit critique, de discuter cette pensée que l'on a illustrée, c'est-à-dire de déterminer les *limites du sujet*. Cette seconde partie n'est cependant pas contradictoire; elle ne s'oppose pas systématiquement à la première, mais plutôt la nuance. Ainsi est-elle une nouvelle appréciation du sujet visant à montrer les faiblesses du jugement émis, son manque d'universalité, voire ses incohérences.

Or à ce point, une question se pose: pourquoi la pensée tour à tour commentée et discutée est-elle en fait partiellement vraie et partiellement inexacte? Pourquoi est-elle générale et limitée tout à la fois? C'est cette réponse qui constitue la *résolution du sujet*. Dans la troisième partie, il s'agit donc de donner au problème sa solution véritable et définitive, afin de rendre compte des divergences observées et de dominer le débat avec l'aisance que procure la compréhension des choses en profondeur.[18]

La CONCLUSION achève la dissertation et, conséquemment, ne saurait comporter aucune idée nouvelle—sinon elle ne serait qu'un autre paragraphe du développement. Elle ne peut être non plus un sec résumé, sous peine de répéter en bref ce qui a été suffisamment développé. La conclusion doit être alors une *synthèse* qui fait le point sur la question débattue, tout en élargissant le problème désormais résolu.[19]

Ainsi, la dissertation française, philosophique et littéraire, apparaît-elle comme un jeu de l'esprit, comme une méthode de pensée qui sert à former le jugement dans le propos d'apprendre à connaître et à comprendre en se défiant des préjugés trompeurs, à douter aussi pour éviter d'être crédule, à rebâtir enfin pour que soient fécondes la critique et l'intelligence des êtres et des choses.

[18] Les termes traditionnels: 'thèse', 'antithèse' et 'synthèse' ont été écartés, car ils impliquent une conception rigide de la dissertation. Il est possible, en effet, de construire un plan dialectique comportant plus de trois parties, de même qu'il existe des dissertations dites 'progressives' dans lesquelles la discussion accompagne le commentaire de chaque idée, au lieu de faire l'objet d'un exposé d'ensemble dans une seconde partie (cf. p. 119 sq.). Il apparaît donc qu'il n'y a pas qu'un seul plan valable pour un sujet donné, lequel peut être développé de quelque manière que ce soit, dans la mesure où la dissertation reste un raisonnement logique et rigoureux.

[19] Par 'élargissement du problème' il convient d'entendre: rattachement de la solution proposée à un aspect plus général de la pensée (cf. pp. 50, 148).

NOTICE BIBLIOGRAPHIQUE

Les citations de Montaigne, de Descartes et de Pascal reproduisent le texte des éditions suivantes:

MONTAIGNE, *Selected Essays* edited by Arthur Tilley and A. M. Boase, Manchester University Press, 1962.

MONTAIGNE, *Oeuvres Complètes*. Textes établis par Albert Thibaudet et Maurice Rat. Introduction et notes par Maurice Rat, Bibliothèque de la Pléiade, 1967. Cette édition a été utilisée pour tous les textes qui ne sont pas recueillis dans *Selected Essays*.

DESCARTES, *Discours de la Méthode*, précédé d'une introduction historique, suivi d'un commentaire critique, d'un glossaire et d'une chronologie par Gilbert Gadoffre, Manchester University Press, 1964.

PASCAL, *Pensées et Opuscules* publiés avec une introduction, des notices et des notes par M. Léon Brunschvicg, Classiques Hachette, 1963.

François Mouret MONTAIGNE

1

'Je ne me mesle pas de dire ce qu'il faut faire au monde, d'autres assés s'en meslent, mais ce que j'y fay.' (I, xxviii, p. 25)

Introduction

'Je suis moy-mesmes la matiere de mon livre' (I, *Au Lecteur*, p. 2) déclare Montaigne qui souligne en ces termes l'unité du point de vue adopté pour écrire les *Essais*. Tout occupé de soi, l'auteur ne s'intéressera donc guère à autrui. Son propre comportement fait seul l'objet de ses pensées, tandis que la conduite des autres l'indiffère. Aussi précise-t-il clairement quel est son propos et quelles en sont les limites, dans une de ces phrases adressées au lecteur : 'je ne me mesle pas de dire ce qu'il faut faire au monde, d'autres assés s'en meslent, mais ce que j'y fay'. Ainsi Montaigne ne veut-il être juge que de soi-même : loin de lui la pensée de vouloir conseiller les hommes, de leur donner des préceptes, de les réformer. Toutefois, cet égotiste, habitué à s'observer et à critiquer ses mœurs, n'a-t-il pas étendu parfois la portée de ses remarques à l'ensemble de l'humanité qu'il retrouve en décrivant son 'estre universel' (III, ii, p. 147)? Bref, de quelle manière Montaigne moraliste traite-t-il du monde et de soi?

(I) Montaigne dit ce qu'il fait et non ce qu'il faut faire

Il est vrai que l'auteur des *Essais* dit ce qu'il fait plutôt que ce qu'il faut faire, tant il a conscience de n'être point apte à donner des conseils qui, de toute façon, resteraient sans effet. Aussi, la seule attitude sensée consiste-t-elle, selon lui, à décrire l'homme tel qu'il est et, à cet égard, il ne saurait trouver meilleur modèle que soi-même.

(A) Inaptitude à conseiller

Montaigne sait, en effet, qu'il est 'trop mal instruit pour instruire autruy' (I, xxvi, p. 285), car explique-t-il : 'mon apprentissage n'a autre fruict que de me faire sentir combien il me reste à apprendre' (III, xiii, p. 228). Mais en admettant même que son savoir et sa culture fussent suffisants, il se refuserait encore à guider les hommes parce qu'une telle attitude n'est pas conforme à sa complexion. Lui qui se connaît ne déclare-t-il pas: 'je ne suis propre qu'à suyvre, et me laisse aysément emporter à la foule' (II, xvii, p. 136)? Les faiblesses de son naturel le portent donc à ne pas 'entreprendre de commander, ny guider' (*Ibid.*, p. 137). Et c'est ainsi qu'il se distingue de ces moralistes et de ces philosophes de l'antiquité tout occupés à régler la conduite des hommes, de ces 'bons autheurs' anciens dont la lecture l'a mainte fois convaincu qu'"il faut avoir les reins bien fermes pour entreprendre de marcher front à front avec ces gens là' (I, xxvi, p. 283).

(B) Raconter l'homme plutôt que le réformer

Montaigne doute d'ailleurs que des discours puissent vraiment améliorer autrui, et il note avec regret: 'ceux qui ont essaié de r'aviser les meurs du monde, de mon temps, par nouvelles opinions, reforment les vices de l'apparence; ceux de l'essence, ils les laissent là' (III, ii, p. 154). De telles observations l'amènent vite à se convaincre de la vanité qu'il y a toujours à se vouloir mêler de diriger qui que ce soit. Pour sa part, il s'en défend: 'si je ne reçoy pas de conseil, écrit-il, j'en donne encores moins' (*Ibid.*, p. 159). Mais que fait-il alors? A cette question il répond: 'je n'enseigne poinct, je raconte' (*Ibid.*, p. 149). C'est là, en effet, l'attitude que lui dicte le bon sens. Que 'les autres forment l'homme' s'ils pensent y parvenir! Lui le 'recite'. Et pour ce faire il 'en represente un particulier bien mal formé' (*Ibid.*, p. 146): soi-même, le seul qu'il connaisse, car 'en celuy-là', il est incontestablement 'le plus sçavant homme qui vive' (*Ibid.*, p. 148). Aussi se présente-t-il 'debout et couché, le devant et le derriere, à droite et à gauche' (III, viii, p. 213), afin qu'on le voie en sa 'façon simple, naturelle et ordinaire, sans contention et artifice' (I, *Au Lecteur*, p. 1).

(C) Montaigne dit ce qu'il fait

Le fait est que Montaigne qui s'"estudie plus qu'autre subject' (III, xiii, p. 224) ne dit pas 'ce qu'il faut faire au monde'; et qui plus est, il ne mentionne autrui que dans la mesure où ses contacts avec les êtres le révèlent à lui-même et lui permettent de mieux analyser son comportement. Ainsi, ramenant tout à soi, il avoue: 'j'ayme à contester et à discourir, mais c'est avec peu d'hommes et pour moy' (III, viii, p. 188). Et s'il s'intéresse parfois à la conduite de quelqu'un, c'est uniquement afin de tirer une leçon valable pour lui seul: 'tous les jours, explique-t-il, la sotte contenance d'un autre m'advertit et m'advise' (*Ibid.*, p. 187). Et de la sorte, les *Essais* apparaissent bien comme le récit détaillé des occupations de Montaigne et de l'apprentissage qu'il fait constamment de la vie.

(II) Montaigne dit ce qu'il faut faire

Mais en jugeant ainsi la conduite d'autrui dans le but de mieux régler la sienne, notre moraliste établit un lien étroit entre le monde et soi. Et de même que ce qu'il réprouve chez les hommes il l'estime néfaste pour soi tout aussi bien, de même ne suit-il pas parfois une démarche inverse qui consisterait à partir de soi pour arriver jusqu'à autrui, à dire en même temps ce que lui et les autres doivent faire, à conseiller ses lecteurs?

(A) le passage de 'je' à 'nous'

Effectivement, Montaigne passe fort souvent de 'je' à 'nous' en écrivant un paragraphe dans lequel il commente telle ou telle opinion qu'il a eue ou action qu'il a accomplie. Les critiques qu'il se fait alors et ses exhortations s'adressent et à sa propre personne, et à tous ceux que cela concerne et qui peuvent en tirer quelque profit. C'est ainsi qu'évoquant son dédain passé pour tout ce qu'il ne pouvait comprendre, il poursuit en ces termes: 'à présent, JE treuve que J'estoy [. . .] à plaindre MOY mesme: non que l'experience M'aye depuis rien fait voir au dessus de MES premieres creances, et si n'a pas tenu à MA curiosité; mais la raison M'a instruit que de condamner ainsi resoluement une chose pour fauce et impossible, C'EST SE donner l'advantage d'avoir dans la teste les bornes et limites de la volonté de Dieu et de la puissance de NOSTRE mere nature; et qu'il n'y a point de plus notable folie au monde que de les ramener à la mesure de NOSTRE capacité et suffisance. Si NOUS appellons monstres ou miracles ce où NOSTRE raison ne peut aller, combien s'en presente il continuellement à NOSTRE veuë' (I, xxvii, p. 9)? Insensiblement Montaigne cesse de parler de soi à la première personne pour utiliser un tour neutre: 'c'est se', qui sert de transition et permet le passage à 'nous'. Et de cette façon, tout en disant ce qu'il ne veut plus faire, il conseille les autres qu'il associe à lui.

(B) les conseils que dicte l'émotion

Montaigne procède fréquemment de la sorte quand il est en proie à une émotion vive. Il sort alors de sa réserve habituelle à l'égard d'autrui et, tout à son indignation, il se prend à juger les hommes, à les condamner, à les admonester. Ainsi, après avoir traité de la pratique des Cannibales, l'auteur des *Essais* fait cette déclaration destinée à ses contemporains français et dans laquelle il donne libre cours à un sentiment de réprobation vive: 'JE ne suis pas marry que NOUS remerquons l'horreur barbaresque qu'il y a en une telle action, mais ouy bien dequoy, jugeans bien de leurs fautes, nous soyons si aveuglez aux NOSTRES. JE pense qu'il y a plus de barbarie à manger un homme vivant qu'à le manger mort, à deschirer, par tourmens et par geénes, un corps encore plein de sentiment, le faire rostir par le menu, le faire mordre et meurtrir aux chiens et aux pourceaux (comme NOUS l'avons, non seulement leu, mais veu de fresche memoire, non entre des ennemis anciens, mais entre des voisins et concitoyens, et, qui pis est, sous pretexte de pieté et de religion), que de le rostir et manger apres qu'il est trespassé' (I, xxxi, p. 37). Dans ces pages, Montaigne est si violemment horrifié qu'il se mêle de dire avec fermeté 'ce qu'il faut faire au monde'.

(c) les conseils que dicte le bon sens

Mais le plus souvent, ce sage philosophe qui bien des fois observe le peu de raison qui préside au comportement des hommes décide qu'il lui appartient de parler et de faire entendre la voix du bon sens quand il y a lieu. L'opinion qu'il exprime alors, se conformant à l'ordre et à la nature des choses, cesse d'être valable pour lui seul et devient d'intérêt général et utile à tous. Il en va ainsi lorsque l'auteur des *Essais* médite, entre autres, sur le respect qui est dû à la vérité. Après avoir remarqué le goût fort répandu dans le monde pour la 'dissimulation' (II, xvii, p. 127), il s'examine soi-même et découvre que son 'ame, de sa complexion, refuit la menterie', bien que parfois quelques mensonges lui échappent qui lui causent, bientôt, 'un remors piquant' (*Ibid.*, p. 128). Puis il propose une règle de conduite qui soit à la mesure de l'homme et qui n'exige rien d'impossible ou d'insensé à qui veut être honnête. Et au nom du bon sens, intelligible à tous, il donne ce conseil impératif qui s'applique à chacun: 'il ne faut pas toujours dire tout, car ce seroit sottise; mais ce qu'ON dit, il faut qu'il soit tel qu'ON le pense, autrement c'est meschanceté' (*Id.*).

(III) En disant ce qu'il fait, Montaigne dit ce qu'il faut faire

Ainsi Montaigne, tout occupé de soi, s'occupe aussi d'autrui dans la mesure où il exprime des préceptes suffisamment généraux pour être applicables à cet 'estre universel' (III, ii, p. 147) qu'il trouve en soi et qui existe en chacun. Or s'il y a, précisément, un rapport entre tout lecteur et l'auteur, n'est-ce point en décrivant simplement ce qu'il fait que Montaigne dit le mieux 'ce qu'il faut faire au monde'?

(A) En disant ce qu'il fait, Montaigne se donne en exemple

En effet, la leçon que contiennent les *Essais* consiste moins en des préceptes généraux émis, çà et là, par le philosophe qu'en la description détaillée du comportement familier de l'auteur, car le récit de cette vie intime et particulière qui prend une valeur exemplaire nous permet de tirer quelque enseignement à notre propre usage. Et cela d'autant plus aisément que Montaigne qui a remarqué que 'chaque homme porte la forme entiere de l'humaine condition' (*Id.*) sait qu'il nous est naturellement proche. Toutefois, il reste conscient des différences multiples qui existent entre les êtres, aussi propose-t-il son mode de vie comme un exemple parmi d'autres que l'on peut prendre 'à contre-poil' (III, xiii, p. 232) s'il y a lieu et non pas comme un modèle à imiter en tous points, ce qui serait contraire à l'expérience qui enseigne que 'qui suit un autre, il ne suit rien' (I, xxvi, p. 289).

(B) L'exemple de ce qu'il faut faire

Quelle est donc la signification du message que Montaigne a transmis à la postérité en se peignant sous sa 'forme naïfve' (I, *Au Lecteur*, p. 1)? Il faut, à l'instar de l'auteur des *Essais*, apprendre à se connaître soi-même pour pouvoir mieux décider de sa conduite; il convient de devenir le censeur de sa propre conscience et de se dire: 'j'ay mes loix et ma court pour juger de moy' (III, ii, p. 150). Alors, le lecteur qui a entendu cette leçon qui condamne toute imitation servile pourra reprendre à son compte ces mots de Montaigne: 'de l'experience que j'ay de moy, je trouve assez dequoy me faire sage' (III, xiii, p. 226). Mais pourquoi vouloir ainsi que chacun soit son propre maître et son seul conseiller?

(C) A chacun de trouver ce qu'il faut faire

C'est afin de respecter la singularité naturelle de chaque être. Pour Montaigne qui affirme, en effet, que seul 'le cours de nos vies' est le 'vray miroir de nos discours' (I, xxvi, p. 309), il n'est de vraie morale que si elle est vécue. Il faut, par conséquent, que les préceptes à observer soient adaptés à la nature de l'individu auquel ils s'adressent. Or Montaigne sait que chaque homme qui seul se connaît véritablement est le meilleur juge de soi-même: 'il n'y a que vous, explique-t-il, qui sçache si vous estes lâche et cruel, ou loyal et devotieux; les autres ne vous voyent poinct, ils vous devinent par conjectures incertaines' (III, ii, p. 150). C'est donc dire que personne d'autre que soi ne peut vraiment décider de la conduite à adopter car 'jamais deux hommes ne jugerent pareillement de mesme chose, et est impossible de voir deux opinions semblables exactement' (III, xiii, p. 218). Ainsi le conseil permanent que Montaigne donne aux hommes, en décrivant presque exclusivement comment il se comporte, est que chacun trouve de soi-même et pour soi-même ce qu'il convient de faire.

Conclusion

Ce n'est donc pas le moindre paradoxe offert par les *Essais* que de présenter un Montaigne qui, tout en ne parlant que de soi, ne cesse en fait de s'adresser à autrui. A vrai dire, il n'y a rien de fondamentalement contradictoire en cela. L'enseignement que dispense le philosophe ne s'exprime guère, en effet, dans les conseils que, parfois, il donne avec autorité et qui restent, somme toute, d'intérêt secondaire, mais plutôt dans la façon dont il se comporte en la vie. Non pas que les actes décrits soient à imiter ou que les opinions émises doivent être partagées : ce sont choses trop particulières pour être adoptées. Non, ce n'est pas le propos de Montaigne que d'imposer quoi que ce soit aux hommes. En fait, la véritable leçon se tire de l'observation même de cet être qui cherche à se connaître pour se comprendre, se juger et adapter enfin son comportement à sa complexion. Peu nous importe donc ce qu'il fait, car cela le concerne seul. Ce qui est utile, en revanche, c'est cette incitation à réfléchir sur soi afin que chacun devienne, à son tour, son propre guide et cesse d'accepter plus ou moins mal et hypocritement une morale qui lui est étrangère. Ainsi, en se choisissant pour unique héros, Montaigne prenait l'humanité entière à témoin, car c'est en étant le plus particulier qu'il est devenu le plus général et que son expérience personnelle a acquis une valeur universelle.

François Mouret MONTAIGNE

2

'Qu'on ne s'attende pas aux matieres, mais à la façon que j'y donne.' (II, x, p. 75)

Introduction

Enclin à douter de la justesse des connaissances humaines et se sachant faillible tout comme un autre, Montaigne invite son lecteur à ne point tenir pour des vérités certaines les opinions variées qui sont émises dans les *Essais*. Et c'est ainsi que cet esprit sceptique qui se doublait d'un pédagogue, auteur d'un chapitre intitulé: 'De l'institution des enfants' (I, xxvi, p. 282), recommande plutôt la manière dont il cherche à savoir les choses que l'exposé qu'il fait des résultats de son enquête: 'qu'on ne s'attende pas aux matieres, déclare-t-il en effet, mais à la façon que j'y donne'. Montaigne souhaite donc que l'on ouvre les *Essais* comme lui-même lisait les auteurs, c'est-à-dire sans tenir compte de la 'science' qu'ils mettent dans leurs livres, 'sans soin' du 'subject' traité, mais en cherchant uniquement la 'façon' (III, viii, p. 195) dont un homme est amené à considérer les 'matières' de son discours, à disputer naturellement d'une question, à apprendre à connaître. Serait-ce à dire, par conséquent, que Montaigne ne songe point à instruire, que le docte s'efface toujours devant l'apprenti? Quel intérêt convient-il donc de prendre à la lecture de cet ouvrage, parfois didactique et souvent riche de considérations d'ordre pédagogique, que sont les *Essais*?

(I) L'art d'apprendre plutôt que l'exposé d'une 'science'

Si Montaigne se défend de faire œuvre de savant en livrant au public ses réflexions sur divers sujets, c'est qu'il est persuadé que la découverte de la vérité nous échappe en partie et que le savoir est inutile le plus souvent. Aussi, lui semble-t-il préférable de s'intéresser à l'art selon lequel il entreprend cette connaissance imparfaite des choses, car il est plus conforme à sa condition.

(A) La vérité de Montaigne est trop partielle et point universelle

Montaigne, en effet, a le sentiment que ses considérations sur le monde sont trop particulières et trop changeantes pour posséder un degré quelconque de certitude: 'ce sont ici MES humeurs et opinions' précise-t-il afin que son lecteur les estime à leur juste valeur et ne les prenne point pour des vérités universelles. Puis il ajoute, insistant sur l'inconsistance de ses jugements: 'je les donne pour ce qui est en ma creance, non pour ce qui est à croire. Je ne vise icy qu'à découvrir moy mesmes, qui seray par adventure autre demain, si nouveau apprentissage me change. Je n'ay point l'authorité d'estre creu, ny ne le desire, me sentant trop mal instruit pour instruire autruy' (I, xxvi, p. 285). Ainsi les matières que l'auteur traite dans son livre sans beaucoup d'assurance sont-elles de faible intérêt. En fait, elles sont accessoires dans la mesure où elles ne servent qu'à révéler Montaigne à soi-même. Et par conséquent, elles ne sauraient être proposées à autrui comme des sujets instructifs et dignes d'attention. D'ailleurs, nul écrivain ne peut prétendre offrir un ouvrage qui contiendrait des vérités sûres, car l'expérience montre qu' 'il n'y a que les fols certains et resolus' (*Ibid.*, p. 289). La particularité et l'incertitude de ses connaissances dissuadent donc Montaigne de chercher à rivaliser avec ceux qui s'estiment savants.

(B) Le savoir est inutile

Et quand bien même l'auteur des *Essais* parviendrait à connaître les choses avec quelque degré de vérité, il ne donnerait pas pour autant dans la 'science' que, fort souvent, il tient pour inutile. Il lui reproche principalement son caractère artificiel dû à un manque de fondements assurés, si bien que l'exposé des connaissances à l'intérieur des livres ne consiste guère qu'à donner une illusion de savoir; et il remarque en s'exclamant: 'facheuse suffisance, qu'une suffisance pure livresque! Je m'attens qu'elle serve d'ornement, non de fondement, suivant l'advis de Platon, qui dict la fermeté, la foy, la sincerité estre la vraye philosophie, les autres sciences et qui visent ailleurs, n'estre que fard' (*Ibid.*, p. 290). Le fait est que les matières d'un ouvrage qui passe pour savant sont sans intérêt, pour la plupart: c'est, explique Montaigne, que 'la meilleure part des sciences qui sont en usage, est hors de notre usage' et, 'en celles-mesmes qui le sont, qu'il y a des estendues et enfonceures tres-inutiles, que nous ferions mieux de laisser là, et, suivant l'institution de Socrates, borner le cours de nostre estude en icelles, où faut l'utilité' (*Ibid.*, p. 299). Convaincu qu'il ne peut détenir de vérités certaines et universelles et que, par ailleurs, notre 'cognoissance [. . .] embrasse peu et vit peu, courte et en estandue de temps et en estandue de matiere' (III, vi, p. 175), Montaigne se replie donc sur soi-même et décrit sa 'façon' particulière et fautive de se donner aux choses, plutôt que de faire un exposé érudit, sans utilité, illusoire et pédant.

(c) De l'art d'apprendre

Ainsi le philosophe est-il amené à entretenir ses lecteurs de l'art d'apprendre qui est le sien, précisément parce qu'étant sceptique et que doutant de la certitude de ses connaissances il ne peut songer à faire du développement de son savoir peu sûr le fondement même de son livre. Montaigne, en effet, ne s'intéresse qu'au fonctionnement, qu'à 'l'essay' de ses 'facultez naturelles'. Aussi peu lui importe si l'on trouve qu'il écrit sur des matières 'qui sont mieux traictées chez les maistres du mestier, et plus veritablement', car celui 'qui sera en cherche de science, déclare Montaigne, si la pesche où elle se loge: il n'est rien dequoy je face moins de profession' (II, x, p. 74). Et c'est ainsi qu'évoquant la formation qu'il a reçue, il se livre moins à une énumération des sujets étudiés et des connaissances acquises qu'à une analyse de l'esprit qui a présidé à son instruction. A ce propos il dit effectivement: 'j'accuse toute violence en l'education d'une ame tendre, qu'on dresse pour l'honneur et la liberté. Il y a je ne sçay quoy de servile en la rigueur et en la contraincte; et tiens que ce qui ne se peut faire par la raison, et par prudence et adresse, ne se faict jamais par la force. On m'a ainsi eslevé' (II, viii, p. 56). Ce n'est donc pas dans les matières elles-mêmes que réside l'intérêt du livre de Montaigne, mais dans la description des ces 'essais' divers que fait l'auteur pour aborder les problèmes qui se posent à lui comme à tout homme. Les solutions proposées importent peu, car Montaigne avertit le lecteur qu'elles ne peuvent être qu'incertaines et partielles. En revanche, ce qui mérite de retenir l'attention, c'est la façon dont le philosophe se pose des questions. Ainsi, les *Essais* sont-ils bien un ouvrage dans lequel la quête des choses est plus importante que la connaissance même de ces choses.

(ii) De l'importance des matières

Toutefois, un esprit essentiellement curieux de la manière dont il part à la découverte du monde et de soi et qui prétend qu' 'on ne faict poinct tort au subject, quand on le quicte pour voir du moyen de le traicter' (III, viii, p. 192) ne saurait se désintéresser complètement de l'objet qui est celui de toute étude: l'acquisition d'un certain savoir. Montaigne n'a-t-il donc pas accordé quelque importance aux matières de son livre?

(a) Les *Essais*: un ouvrage érudit

Il est vrai qu'à bien des égards les *Essais* se présentent comme un ouvrage érudit. L'auteur y exprime de façon didactique une large partie de son savoir. Ainsi il appuie la plupart des réflexions qu'il fait de citations savantes empruntées aux anciens Grecs et Latins ou aux modernes Italiens. Il fait appel, tour à tour, aux poètes, aux historiens, aux philosophes, aux auteurs de relations de voyages, etc. Au gré de ses pensées, Montaigne révèle donc avec force détails l'étendue de sa vaste culture. Et les *Essais* deviennent de la sorte l'ouvrage d'un homme docte qui traite 'Des livres' (II, x) aussi bien que 'Des loix somptuaires' (I, xliii), qui se lance dans une 'Consideration sur Ciceron' (I, xl), prend la 'Defence de Seneque et de Plutarque' (II, xxxii) ou discourt tantôt 'De l'utile et de l'honneste' (III, i) et tantôt 'Du repentir' (III, ii), 'De l'amitié' (I, xxviii), 'Des cannibales' (I, xxxi) et d'autres sujets non moins variés. En livrant ainsi la somme de son savoir Montaigne, certes, se fait connaître soi-même et laisse découvrir sa 'façon' particulière de disputer des choses, mais il n'en accorde pas moins une place importante aux 'matières' qui servent à instruire le lecteur.

(B) Les 'matières' importent à l'égal de la 'façon'

Ceci est particulièrement vrai lorsque Montaigne s'occupe de morale. Le fait qu'il donne alors de nombreuses règles de conduite révèle bien que les résultats de sa réflexion importent à l'égal de la 'façon' dont il aborde les questions touchant au comportement de l'homme. C'est ainsi que, d'abord, il s'interroge afin de découvrir comment il réagit dans une situation donnée: 'à un danger, je ne songe pas tant comment j'en eschaperay, que combien peu il importe que j'en eschappe. Quand j'y demeurerois, que seroit-ce' (II, xvii, p. 123)? Puis à la manière introspective d'envisager le problème succède l'énoncé d'une solution qui importe à l'auteur désireux non seulement de se connaître, mais encore de diriger sa conduite. Et la matière même de cette méditation morale fait à elle seule l'objet du précepte que le philosophe formule en ces termes: 'ne pouvant reigler les evenements, je me reigle moymesme, et m'applique à eux, s'ils ne s'appliquent à moy' (*Id.*). Il convient donc de lire Montaigne et pour observer le mouvement de sa pensée et pour prendre connaissance des conclusions auxquelles il aboutit, sinon ce serait minimiser la signification et la portée de réflexions générales et instructives telles que: 'c'est aimer sainement d'entreprendre à blesser et offencer pour proffiter' (III, xiii, p. 230) ou encore: 'il faut souffrir doucement les loix de nostre condition' (*Ibid.*, p. 245), etc.

(c) Montaigne poursuit la connaissance générale de l'homme

En fait, il est un sujet dont la matière occupe Montaigne en premier lieu: c'est la connaissance de l'homme à laquelle il convie son lecteur. Disciple de 'Socrates, le maistre des maistres' (*Ibid.*, p. 228), il fait de soi-même l'objet d'une véritable science et devient, de la sorte, 'la matiere de [son] livre' (I, *Au Lecteur*, p. 2) laquelle est du plus grand intérêt puisqu'elle permet de connaître cette 'humaine condition' (III, ii, p. 147) qui, selon l'auteur des *Essais*, est le but de toute recherche. Et c'est bien parce qu'il se comporte tel un savant pour qui le résultat est d'importance supérieure à la façon dont il est procédé à la découverte, que Montaigne dit des historiens : ils 'sont ma droitte bale : ils sont plaisans et aysez ; et quant et quant l'homme en general, de qui je cherche la cognoissance, y paroist plus vif et plus entier qu'en nul autre lieu, la diversité et verité de ses conditions internes en gros et en destail, la varieté des moyens de son assemblage et des accidents qui le menacent' (II, x, p. 85). La 'matière' fondamentale de son ouvrage requiert donc toute l'attention et tout l'intérêt de l'auteur.

(III) Un savoir vécu

Il s'avère par conséquent que l'enseignement qui peut être tiré de la lecture des *Essais* est double, selon que l'on observe Montaigne occupé à faire l'exercice de ses facultés tandis qu'il considère le monde et soi, ou que l'on s'intéresse aux conclusions de son investigation qu'il expose ici et là. Mais est-il naturel de vouloir séparer et opposer 'matières' et 'façon' ainsi qu'y invite l'auteur ? Plus encore qu'un apprenti qui se découvre soi-même ou qu'un savant qui communique ses connaissances, Montaigne n'est-il pas un philosophe pour qui le véritable savoir est inséparable de la vie d'une conscience et de la réalité des choses ?

(A) Une 'science' consciente

Montaigne cherche, en effet, à acquérir une 'science' consciente, c'est-à-dire, qui s'accompagne d'une réflexion sur la manière dont un homme peut et doit faire l'expérience de la connaissance. Ainsi recommande-t-il que l'étude d'un sujet soit entreprise avec un esprit critique et qu'elle soit liée au développement de la faculté de juger : 'les abeilles pillotent deçà delà les fleurs, mais, remarque Montaigne, elles en font apres le miel, qui est tout leur ; ce n'est plus thin ny marjolaine : ainsi les pieces empruntées d'autruy', l'élève 'les transformera et confondera, pour en faire un ouvrage tout sien : à sçavoir son jugement' (I, xxvi, pp. 289–90). Et de cette façon il deviendra plutôt 'un habil' homme qu'un homme sçavant' (*Ibid.*, p. 287), un homme semblable, en vérité, à l'auteur des *Essais* qui toujours se connaît et s'observe attentivement cependant qu'il dispute de questions diverses.

(B) Une 'science' expérimentale

Et de même qu'il veut être conscient de tout ce qu'il apprend, Montaigne ne traite les matières contenues dans son livre qu'en prenant soin de les rattacher directement à la vie, car toute science qui n'est pas abordée de façon expérimentale n'est qu'un amas de connaissances inutiles à l'homme, voire erronées. Après avoir mis l'accent sur la manière personnelle d'acquérir un certain savoir, le philosophe insiste donc sur la façon dont tout individu doit mettre ce savoir en pratique. Et c'est pourquoi il conseille de s'assurer du profit que l'enfant aura tiré d'une leçon 'non par le tesmoignage de sa memoire, mais de sa vie' (*Ibid.*, p. 288). Pour Montaigne, en effet, il faut que toute opinion émise sur un sujet ne soit pas démentie par la nature et le comportement de celui qui parle, car chacun devrait, comme lui, aimer à déclarer: 'je me garderay, si je puis, que ma mort die chose, que ma vie n'ayt premierement dit' (I, vii, p. 5). Aussi celui qui remarquait que 'c'est tousjours plaisir de voir les choses escrites par ceux qui ont essayé comme il les faut conduire' (II, x, p. 89) n'a-t-il abordé dans les *Essais* que des thèmes de réflexion qui étaient liés à son expérience personnelle.

(c) Un art de vivre

En associant ainsi de façon permanente le but de son étude à une méditation sur la manière de l'atteindre et sur soi-même, Montaigne propose au lecteur un véritable art de vivre qui consiste à savoir s'adapter aux choses et à ne chercher à en connaître que ce dont on est capable. Et de fait, il prétend que 'les belles ames, ce sont les ames universelles, ouvertes et prestes à tout, si non instruites, au moins instruisables' (II, xvii, p. 134), car elles savent apprendre en se conformant, tout à la fois, à leur propre nature et à l'objet de leur curiosité. La sagesse que Montaigne observe dans sa vie et en écrivant son livre veut donc que l'on se donne à l'étude de la vraie philosophie 'qui, comme formatrice des jugements et des meurs, [...] a ce privilege de se mesler par tout' (I, xxvi, p. 305) mais sans pédanterie puisque, selon le propos d'Heraclides Ponticus que rapporte l'auteur des *Essais*, être 'philosophe', c'est ne savoir 'ny art ny science' (*Ibid.*, p. 309), c'est d'abord apprendre à se connaître soi-même afin de pouvoir partir à la découverte de la position de l'homme dans le monde.

Conclusion

En faisant porter l'essentiel de sa réflexion sur la 'façon' dont il se livre à l'étude des choses, plutôt qu'en attachant de l'importance aux 'matières' qu'il traite sans jamais se départir d'un certain esprit sceptique, Montaigne a en fait assuré le fondement même de la connaissance à laquelle il aboutit. C'est en effet parce qu'il a toujours accordé la recherche du savoir à la nature de son être dont il n'ignore ni les aptitudes ni les limites, et qu'il a confronté constamment le résultat de son enquête à la réalité du monde, qu'il est parvenu à parler avec pénétration et objectivité des divers sujets qui sont exposés dans les *Essais*. Car l'art d'apprendre qui requiert la plupart de son attention n'a de signification et d'utilité que dans la mesure où il débouche sur l'acquisition d'un 'sçavoir' qui 'en son vray usage' est 'le plus noble et puissant acquest des hommes' (III, viii, p. 193). C'est donc en se voulant bon apprenti que Montaigne est devenu savant sur tout ce qui touche à la nature de l'homme, de sorte que le lecteur des *Essais* ne peut dissocier l'intérêt qu'il porte aux 'matières' de celui que suscite la 'façon que [. . . l'auteur] y donne'. Et c'est ainsi que le philosophe se révèle dans la totalité de sa sagesse.

Bernard Jean MONTAIGNE

3

'La presomption est nostre maladie naturelle et originelle. La plus calamiteuse et fraile de toutes les creatures, c'est l'homme, et quant et quant* la plus orgueilleuse. Elle se sent et se void logée icy, parmy la bourbe et le fient du monde [. . .] et se va plantant par imagination au dessus du cercle de la Lune et ramenant le ciel soubs ses pieds.' (II, xii, *pléiade*, p. 429)

Introduction

La place de l'homme dans le monde est le problème central de toute philosophie. Situé au point de jonction de la métaphysique et de l'éthique, ce problème fait appel aux postulats de la première pour façonner la seconde : en effet, la conduite que la morale nous demandera d'adopter dans le monde dépendra étroitement de nos rapports avec ce monde. Pour Montaigne, notre place est la dernière. Nous sommes 'la plus calamiteuse et fraile de toutes les creatures'. Nous devrions donc agir en conséquence, et notre refus de le faire est un vice, une 'maladie'. L'homme, en n'accordant pas sa conduite à son rang, se révèle être la créature 'la plus orgueilleuse'. Mais il va plus loin encore, et s'imagine être ce qu'il n'est pas. Minuscule, il a des illusions de grandeur. Faible, il a la faiblesse supplémentaire de ne pas vouloir s'en rendre compte. C'est cela notre 'présomption'. Elle ajoute le ridicule à nos autres infirmités. Devant un problème philosophique aussi important, il nous faut nous demander quelles sont les implications qu'un tel point de vue peut avoir pour le reste de la pensée de Montaigne, et essayer de cerner une définition de celle-ci.

(I) Place de l'homme dans le monde selon Montaigne

De tous les êtres animés qui vivent à la surface du globe, l'homme n'est pas le seul que considère Montaigne, et cela confère une grande originalité à ses remarques. Il étudie le comportement des animaux avec attention, amusement et sympathie. Il conclut de ses observations que l'homme est

* Quant et quant : *en même temps.*

(A) Supériorité du règne animal

moins bien adapté que l'animal à la survie sur terre. En effet, nous n'avons pas l'instinct qui conduit tous les animaux de façon infaillible. 'Nature, par une douceur maternelle, les accompaigne et guide, comme par la main à toutes les actions et commoditez de leur vie; et [...] elle nous abandonne au hazard et à la fortune, et à quester par art les choses necessaires à nostre conservation [...]; de maniere que leur stupidité brutale surpasse en toutes commoditez tout ce que peut nostre divine intelligence' (II, xii, *pléiade*, p. 433). Mais la possession de l'intelligence pourrait, peut-être, à elle seule, justifier 'l'impudence humaine sur le faict des bestes' (*Ibid.*, p. 430). Montaigne ne le pense pas. Il s'ingénie, au contraire, à nous donner une suite d'exemples dans lesquels nous voyons des animaux se comporter, non pas mécaniquement, mais comme s'ils avaient suivi un véritable raisonnement. Il s'agit, hélas! d'histoires rapportées, et non d'une documentation scientifique sérieuse. Nous connaissons très bien aujourd'hui ce dont sont capables les animaux et ne pouvons pas croire qu'un chien ait assez d'intelligence pour faire monter le niveau de liquide dans un vase en y jetant des cailloux (*Ibid.*, p. 444) ou un éléphant pour désigner son persécuteur (*Id.*). Montaigne montre ici beaucoup de parti-pris. Il va même jusqu'à déclarer que, si nous ne pouvons communiquer avec les animaux par le langage, il y va autant de notre faute que de la leur (cf. *Ibid.*, p. 430). Descartes est plus près de la vérité quand il affirme que les animaux ne possèdent ni raison, ni langage créateur. Montaigne croyait que l'homme est un animal inférieur, mais il n'est pas parvenu à le prouver.

(B) L'homme se croit un dieu

L'homme, persuadé qu'il n'est pas 'la plus calamiteuse et fraile de toutes les creatures', se considère comme le roi de l'univers. Montaigne lui reproche de se croire une espèce de dieu, trônant au zénith et 'ramenant le ciel soubs ses pieds'. Pour Aristote, le monde sublunaire connaissait la corruption —naissance et mort—alors que le supralunaire était immuable et éternel. En se 'plantant par imagination au dessus du cercle de la Lune', l'homme s'attribue une immortalité qui n'appartient pas aux autres espèces et l'apparente à Dieu. Montaigne voit là la 'vanité de [... l'] imagination' (*Ibid.*, p. 429). Ce n'est pas tant un sacrilège de la part de l'homme, qu'un pitoyable et ridicule effet de son ignorance. La présomption de l'homme est le rapport qui existe entre sa petitesse et l'idée qu'il se fait de sa grandeur.

(II) Critiques philosophiques

Le pessimisme de Montaigne à l'égard de la nature humaine a évoqué divers échos. Avant d'entreprendre de le définir, envisageons les différentes attitudes philosophiques qui se sont affrontées à lui.

(A) Pascal

Pascal, qui n'aime pas Montaigne, l'approuve fort, cependant, sur la question de la place de l'homme dans le monde. Dans l'*Entretien avec M. de Saci*, il déclare que 'Montaigne est incomparable pour confondre l'orgueil [. . .] et pour convaincre [. . .] la raison de son peu de lumière' (B., p. 162). Pour lui, Montaigne, qui 'fait profession de la religion catholique' (*Ibid.*, p. 150), est à peu près dans la ligne de l'Eglise. 'Il combat [. . .] les hérétiques' (*Ibid.*, p. 152) et en particulier 'l'impiété horrible de ceux qui osent assurer que Dieu n'est point' (*Id.*). Mais, néanmoins, tout en étant heureux de trouver Montaigne pour une fois utile à son combat, il est soucieux de marquer une distinction que Montaigne ne fait pas. La petitesse de l'homme ne constitue pas à elle seule toute la vérité. Il y a aussi une grandeur de l'homme. La profondeur de l'Evangile est d'avoir su très mystérieusement lier ces contraires. La solution partielle de Montaigne nous 'précipite dans le désespoir d'arriver à un véritable bien, et de là dans une extrême lâcheté' (*Ibid.*, p. 160).

(B) Théologie catholique

Bien que l'analyse de Montaigne s'applique à 'l'homme seul' (II, xii, *pléiade*, p. 427), c'est-à-dire à l'homme sans Dieu, et recoupe partiellement l'enseignement chrétien, il y a des différences; Pascal en a vu quelques-unes, et il y en a d'autres encore. Rabaisser l'homme pour glorifier Dieu est une attitude à laquelle l'Eglise répugne. Certes, nous voyons les poètes chrétiens s'y abandonner, et, en cela, ils ne font que prendre la suite des textes inspirés de la Bible. Mais du point de vue théologique, cela présente un danger. Humilier trop la créature porte offense au Créateur. Dieu n'a pas voulu que l'homme fût une créature inférieure, mais la première. Il est explicitement établi que l'homme reçoit en partage le reste de la création, et qu'il en est le maître, même après la chute. Dieu a créé l'homme à son image.

(C) Les rationalismes

Pour tous les humanismes, l'opinion de Montaigne est irrecevable. L'homme, par sa raison, domine la nature, et il la domine de plus en plus. Peu de temps après Montaigne, Descartes annonce à l'humanité qu'il sera bientôt possible de percer tous les mystères du monde et d'avoir une action efficace sur lui. L'homme pourra garantir sa santé et prolonger la durée de la vie. Au XVIème siècle, l'existence humaine pouvait sembler précaire, mais au XXème siècle, il est facile de montrer que les arguments de Montaigne étaient faux, et que la balance penche davantage du côté de Descartes. L'infaillibilité de l'instinct appartient désormais à l'homme grâce aux machines électroniques et quant à l'adaptation au monde, l'homme s'est montré capable de façonner son environnement, au lieu que l'animal est façonné par le milieu ambiant. Sans entrer dans le détail, nous pouvons dire qu'il ne reste rien des deux arguments clefs de Montaigne. Mais ce n'est pas tout: ce progrès, marque de la grandeur de l'homme, les rationalismes le verront même dans le domaine moral. L'homme, maître de l'univers, sait que tout ne lui est pas permis, et qu'il a des responsabilités à la fois vis-à-vis de cet univers et vis-à-vis de lui-même. Au cours de l'histoire, nous le voyons prendre conscience de ses devoirs avec de plus en plus d'exactitude. De génération en génération, il perfectionne ses critères et prouve à quel point le manque de confiance de Montaigne à son égard est injustifié.

(III) Un pessimisme sceptique

Si, comme nous venons de le voir, le pessimisme de Montaigne va au-delà de la vision chrétienne de l'homme, il importe de bien caractériser les différences qui peuvent exister entre les deux attitudes, afin de mieux définir le point de vue de Montaigne.

(A) Pessimisme non-chrétien

Montaigne se disait chrétien. Ses remarques sur la présomption, tout son tableau des infirmités humaines, précèdent et annoncent, dans l'*Apologie de Raimond Sebond*, une profession de foi chrétienne. Mais n'y a-t-il rien de suspect à ce que les arguments en faveur de la religion soient tous tirés des Anciens? Comment Platon et Sénèque pourraient-ils démontrer le Dieu des chrétiens? La 'conclusion si religieuse d'un homme payen' (II, xii, *pléiade*, p. 588) que cite Montaigne, ne peut nous empêcher de penser que notre auteur est allé trop loin: Dieu, certes, est éternel, Platon l'a bien vu, et l'homme, transitoire. Mais de cela peut-on conclure: 'finalement, il n'y a aucune constante existence, ny de nostre estre, ny de celuy des objects. Et nous, et nostre jugement, et toutes choses mortelles, vont coulant et roulant sans cesse' (*Ibid.*, p. 586)? Le monde ici décrit n'est pas celui de l'Eglise, mais celui de Pyrrhon. C'est l'hypothèse sceptique, qui retient Montaigne, et les arguments chrétiens de l'*Apologie* font figure d'ornements, voire de déguisements.

(B) Une vision sceptique

Nous apercevrons ce qui sépare le christianisme traditionnel et le scepticisme de Montaigne si nous nous demandons *pourquoi* l'homme est 'la plus calamiteuse et fraile de toutes les creatures'. Pour l'Eglise, la réponse est à trouver dans le péché, qui a conduit la race d'Adam à gagner son pain à la sueur de son front. Mais pour Montaigne, la réponse est beaucoup plus riche, beaucoup plus complète et beaucoup plus noire. La faiblesse de l'homme apparaît d'abord vis-à-vis de la connaissance. 'Nous n'avons aucune communication à l'estre' (*Id.*), car nous sommes souvent victimes d''une evidente imposture' (*Ibid.*, p. 579) de la part des sens. Mais la raison ne vaut pas mieux: 'cette mesme piperie que les sens apportent à nostre entendement, ils la reçoivent à leur tour' (*Ibid.*, p. 580). C'est l'imagination, ici, qui déforme, rendant l'homme 'plein de foiblesse et de mensonge' (*Id.*). Tout cela conduit, non à la conclusion chrétienne que l'homme doit être racheté, mais à la conclusion sceptique que la vie est un songe.

(c) Renoncement au stoïcisme

Le ton de Montaigne rappelant à l'homme sa présomption fait davantage penser au mépris de Pyrrhon désabusé, traitant ses concitoyens de fous qu'à la charitable sévérité de l'Ecriture. La longueur de l'*Apologie*, où les arguments sont répétés et les exemples accumulés comme à plaisir, témoigne aussi d'un certain excès. Montaigne, littéralement, s'emporte contre l'homme. Il n'est pas difficile de trouver une raison à cet emportement. Au début de son livre, Montaigne nous donne des essais à la louange du stoïcisme. Il affirme que 'le sçavoir mourir nous afranchit de toute subjection et contrainte' (I, xx, *pléiade*, p. 85). Ses maîtres stoïciens ont affirmé que, par son indifférence devant la mort, le sage devient l'égal des dieux. Le stoïcisme est en effet philosophie de la force, partant, une philosophie de l'orgueil. Il exalte l'homme. Montaigne veut le rabaisser, et si nous le voyons insister si fort, c'est peut-être parce qu'il a lui-même été stoïque, et qu'il cherche à répudier ses idées de naguère.

Conclusion

Une remarque où notre auteur avait l'air de reprendre des lieux communs de la doctrine chrétienne, mais où, en fait, il les outrait de façon suspecte, a joué le rôle de révélateur pour la véritable pensée de Montaigne, qui est une pensée sceptique. En même temps qu'un pessimisme incrédule, qui forme la base de sa réflexion, nous avons découvert l'importance respective des trois courants de pensée auxquels il puise : le stoïcisme, le christianisme et le scepticisme. Nous avons vu que c'est en méditant sur le christianisme qu'il se découvre sceptique et rejette le stoïcisme. Certes, les idées de Montaigne sur la place de l'homme dans le monde sont difficilement défendables et la présomption attribuée par lui à l'homme demeure affaire d'opinion personnelle. Mais cette grande question philosophique nous a permis de préciser le rôle que joue le christianisme chez Montaigne, celui de médiateur entre les deux grandes philosophies qui se partagent son âme.

4

'La gloire et la curiosité sont les deux fleaux de nostre âme. Cette cy nous conduit à mettre le nez par tout, et celle là nous defant de rien laisser irresolu et indecis.' (I, xxvii, p. 12)

Introduction

Observateur attentif du monde et de soi-même, Montaigne apprend à se défier des croyances humaines. Et c'est ainsi qu'il cède à la tentation que représente le scepticisme et met en doute les aptitudes de l'homme à bien comprendre et à juger sainement. Le titre d'un chapitre qui compose les *Essais* est révélateur à cet égard : 'C'est folie de rapporter le vray et le faux a nostre suffisance' (I, xxvii, p. 8). Et dans ces pages, précisément, Montaigne analyse les raisons profondes d'une telle incapacité. Selon lui, 'la gloire et la curiosité sont les deux fleaux de nostre âme'. Et il justifie son accusation en expliquant que 'cette cy nous conduit à mettre le nez par tout, et celle là nous defant de rien laisser irresolu et indecis'. Nous devrions donc prendre garde à cette prétention que nous avons de tout vouloir connaître et rendre intelligible. Mais Montaigne lui-même n'a-t-il point cherché à percer le mystère de 'l'humaine condition' en prenant son 'estre universel' (III, ii, p. 147) et tout ce qui s'y rapporte pour 'la matiere de [son] livre' (I, *Au Lecteur*, p. 2) ? Quelle a été en fait l'attitude adoptée par ce philosophe qui avait l'esprit sceptique, mais aussi une appétence insatiable d'humaniste à savoir, à comprendre, à disputer de tout ?

(I) Les deux fléaux que sont la gloire et la curiosité

Si la gloire et la curiosité sont deux fléaux, ainsi que Montaigne l'affirme, c'est que toutes deux conjuguent leurs effets et poussent l'homme à rendre compte de ce qu'il ne peut raisonnablement concevoir, ce qui l'amène à avoir une vision erronée des choses et de soi.

(A) Nature de ces fléaux

Mais pourquoi Montaigne unit-il la curiosité qui est un empressement à voir et à connaître, une 'passion avide et gourmande de nouvelles' (II, iv, *pléiade*, p. 344), à la gloire, c'est-à-dire à cette 'trop bonne opinion que nous concevons de nostre valeur' (II, xvii, p. 108), à cette vanité que nous avons de croire que nous pouvons juger de tout à la lumière de notre raison? L'association de ces deux défauts communément répandus parmi les hommes n'est pas arbitraire, mais conforme à une vérité psychologique que Montaigne a perçue. Car il existe un rapport de cause à effet entre la curiosité sans cesse en éveil et les solutions que nous nous faisons un point d'honneur de devoir toujours donner aux problèmes que nous soulevons. Le philosophe remarque en effet que 'nous avons les yeux plus grands que le ventre, et plus de curiosité que nous n'avons de capacité' (I, xxxi, p. 29). Il n'est pas dans notre nature de pouvoir tout expliquer, or notre orgueil excessif ne nous permettant pas d'admettre une telle défaite, nous proposons imprudemment des explications sans fondement. Et Montaigne de constater alors: 'nous embrassons tout, mais nous n'étreignons que du vent' (*Id.*).

(B) Erreur sur le monde

A vouloir ainsi tout résoudre, l'homme commet une erreur permanente sur le monde qu'il ne peut comprendre ni véritablement, ni dans sa totalité, et qu'il prétend expliquer néanmoins. Montaigne constate effectivement que le désir impatient de savoir toujours plus, aussi vif soit-il, ne permet cependant de s'interroger que sur une infime partie des choses; et il s'exclame: 'de cette mesme image du monde qui coule pendant que nous y sommes, combien chetive et racourcie est la cognoissance des plus curieux' (III, vi, p. 176)! Et même cette connaissance limitée est illusoire, l'esprit humain ne donnant, le plus souvent, qu'un ensemble d'explications 'qui nous represente volontiers une tres-fauce image' (*Id.*). Il en va de la sorte parce que 'les sens sont nos propres et premiers juges' et qu'ils 'n'apperçoivent les choses que par les accidens externes' (III, viii, p. 197) ou 'vaines circonstances qui pipent nostre jugement' (*Ibid.*, p. 199). De plus, l'homme qui croit comprendre est toujours trompé car 'il semble que nous n'avons autre mire de la verité et de la raison que l'exemple et idée des opinions et usances du païs où nous sommes' (I, xxxi, p. 32). Mais en admettant même que nous puissions nous prémunir contre les préjugés de la coutume et les erreurs des sens, nous ne parviendrions pas à proposer une représentation logique de l'univers car la 'fortune' qui en règle le cours et qui 'ne se veut pas renger et assujectir à notre discours' (I, xlvii, p. 50) rend inexacte, hasardeuse et inconsidérée toute tentative d'explication raisonnée. Montaigne est donc contraint de conclure à 'l'incertitude de nostre jugement'

(*Ibid.*, p. 44), à craindre 'que nostre cognoissance soit foible en tous sens' (III, vi, p. 175), à accuser de présomption ceux qui par vaine gloire se font fort de tout résoudre et vont 'condamnant pour faux ce qui ne [. . .] semble pas vraysemblable' (I, xxvii, p. 8) ou appelant 'monstres ou miracles ce où nostre raison ne peut aller' (*Ibid.*, p. 9), car c'est là faire preuve d' 'une hardiesse dangereuse et de consequence', d'une 'absurde temerité' (*Ibid.*, p. 12). Il n'est donc pas raisonnable de croire pouvoir raisonner de tout ce que la curiosité nous fait entrevoir. S'obstiner, c'est déformer la réalité des choses, et c'est surtout se méconnaître soi-même.

(c) Erreur sur soi

Et de fait, la gloire et la curiosité ne poussent l'homme à commettre des erreurs répétées sur les sujets dont il traite que dans la mesure où elles l'empêchent de se voir tel qu'il est: se sentir apte à ne 'rien laisser irresolu et indecis' implique que l'on ne s'estime pas à sa juste mesure. Or c'est là, remarque Montaigne, 'un'affection inconsiderée, dequoy nous nous cherissons, qui nous represente à nous mesmes autres que nous ne sommes' (II, xvii, p. 108); à tel point qu' 'il eschape souvent des fautes à nos yeux'. Et cet aveuglement cause seul 'la maladie du jugement' (II, x, p. 76) observable chez chacun, à tout propos. Une telle méconnaissance de soi est à vrai dire une ignorance profonde de la nature et de la condition humaines, puisque cela consiste à 'se donner l'advantage d'avoir dans la teste les bornes et limites de la volonté de Dieu et de la puissance de nostre mere nature' et à commettre la 'plus notable folie au monde' en voulant ainsi 'les ramener à la mesure de nostre capacité et suffisance' (I, xxvii, p. 9). Prétendre avec vanité que l'on peut tout comprendre revient donc à se prendre pour l'auteur des choses alors que l'on est homme pour qui le fondement de ces choses reste obscur et inintelligible. C'est donc 's'estimer trop' (II, xvii, p. 111). Aussi Montaigne exhorte-t-il son lecteur à plus d'humilité: 'il faut juger avec plus de reverence de cette infinie puissance de nature et plus de reconnoissance de nostre ignorance et foiblesse' (I, xxvii, p. 10). La curiosité qui nous incite à poser toujours de nouvelles questions et le faux sentiment que nous avons de notre gloire qui exige des réponses qu'il ne nous appartient pas de pouvoir donner sont donc bien les plus dangereux ennemis de l'esprit humain.

(II) La curiosité et la gloire font la grandeur de l'homme

Mais ce philosophe, conscient des faiblesses de l'entendement et qui aimait à dire que 'c'est un doux et mol chevet, et sain, que l'ignorance et l'incuriosité, à reposer une teste bien faicte' (III, xiii, p. 225) et qui prétendait qu' 'il n'y a que les fols certains et resolus' (I, xxvi, p. 289), n'a-t-il pas cependant été curieux de soi et cherché à avoir l'intelligence des choses qui le concernaient ? En ce siècle où la culture renaissait, n'a-t-il pas eu le culte de l'homme dont la grandeur résidait précisément dans une soif de savoir et un désir de comprendre ?

(A) Les vertus de la curiosité

Si fait. Et de même qu'il s'élève contre une curiosité intempestive et contre la vanité de vouloir tout expliquer, de même Montaigne dénonce les fléaux que sont une absence totale d'intérêt pour des sujets nouveaux et une défiance systématique des aptitudes humaines à penser. Selon lui, en effet, il est salutaire et indispensable d'être curieux. Aussi émet-il le vœu que tout précepteur 'mette en fantasie' de son jeune élève 'une honeste curiosité de s'enquerir de toutes choses' (*Ibid.*, p. 295). Mais à quel usage ? Afin d'avoir de l'homme, de ses capacités, de ses limites aussi, une conception qui ne soit point erronée. Si nous étions plus attentifs à ce qu'il advient autour de nous, nous serions abusés moins fréquemment. Et Montaigne se justifie en faisant appel à l'expérience quotidienne : 'quand j'oy reciter l'estat de quelqu'un, écrit-il, je ne m'amuse pas à luy ; je tourne incontinent les yeux à moy, voir comment j'en suis. Tout ce qui le touche me regarde. Son accident m'advertit et m'esveille de ce costé là. Tous les jours et à toutes heures, nous disons d'un autre ce que nous dirions plus proprement de nous, si nous sçavions replier aussi bien qu'estendre nostre consideration' (II, viii, p. 64). Et cette 'considération' dont parle Montaigne n'est autre qu'une juste et profitable curiosité qui permet de découvrir certaines vérités fondamentales relatives au monde et à soi.

(B) La curiosité est à la base de tout jugement sain

D'autre part, nul ne saurait porter un jugement sain s'il n'a, préalablement, été curieux. Et c'est pourquoi 'quand on juge d'une action particuliere, il faut considerer plusieurs circonstances et l'homme tout entier qui l'a produicte, avant la baptizer' (II, xi, p. 97). On ne peut donc comprendre et expliquer quoi que ce soit sans avoir pris le soin de s'enquérir de détails multiples. Ainsi la curiosité bien appliquée est-elle la base indispensable sur laquelle doit reposer toute approche de la vérité, car Montaigne veut que l'on fasse confiance à la faculté de bien juger qui peut être exercée indépendamment de la recherche d'une vaine gloire.

(C) La grandeur de résoudre et de décider

Il y a effectivement une grandeur propre à la nature de l'homme qui est de vouloir résoudre ce que la découverte des choses comporte d'indécis. Et Montaigne remarque à ce propos qu''il n'est desir plus naturel que le desir de connoissance' (III, xiii, p. 214). Aussi défend-il le 'jugement' humain qui 'doit tout par tout maintenir son droit' (II, xvii, p. 109), car un homme ne doit pas penser 'estre moins que ce qu'il est' (*Ibid.*, pp. 108–9), non plus qu'il ne doit se surestimer pour satisfaire à une fausse gloire. Montaigne est donc assuré que la faculté de juger qui s'appuie sur une curiosité en éveil n'est pas vaine, mais qu'elle est le propre de l'homme et sa dignité.

(III) La sagesse du bon sens contrôlant la gloire et la curiosité

S'il connaît les insuffisances de la raison qui est incapable de donner une solution à tous les problèmes que soulève un esprit curieux, Montaigne sait également qu'il serait peu conforme à la nature humaine de refuser d'entreprendre la découverte de choses nouvelles et de s'interroger à leur sujet. Mais alors, comment savoir que les réponses aux questions que l'on se pose avec curiosité sont fondées et ne sont pas en fait de vains propos émis pour satisfaire une folle gloire?

(A) Etre curieux et rechercher la gloire avec bon sens

Puisque la raison qui bien souvent nous trompe n'est point sûre, la seule faculté à laquelle il faille se fier pour comprendre et juger correctement est le bon sens. Pourquoi? Parce qu'il est 'le plus juste partage que nature nous aye fait de ses graces' (*Ibid.*, p. 140) et que 'nature est un doux guide [. . .], prudent et juste' (III, xiii, p. 277). En revanche, la raison, corrompue par une curiosité excessive et par les exigences d'une gloire insensée, conduit l'homme par des 'traces artificielles' (*Id.*) qui l'écartent toujours plus du chemin naturel qui seul mène à la découverte de quelques vérités sur les choses de ce monde. Pour s'en convaincre, il suffit de comparer le bon sens des gens de la campagne aux faux brillants des raisons contradictoires qu'avancent témérairement ceux dont l'office est de penser: 'les meurs et les propos des paysans, remarque alors Montaigne, je les trouve communéement plus ordonnez selon la prescription de la vraie philosophie, que ne sont ceux de nos philosophes' (II, xvii, p. 144). Aussi l'auteur des *Essais* fait-il appel au bon sens pour résoudre ce qui ne peut rester indécis. S'interroge-t-il afin de savoir si un père incapable de gérer ses biens doit s'en défaire de son vivant et les partager entre ses enfants avant que sa mort ne les fasse héritiers, qu'il donne cette réponse sensée: 'c'est raison qu'il leur en laisse l'usage, puis que nature l'en prive: autrement, sans doute, il y a de la malice et de l'envie' (II, viii, p. 59).

(B) Le bon sens conduit à la sagesse qui consiste à être curieux de ce qu'on peut comprendre

En écoutant de la sorte ce que dicte le bon sens il est possible d'atteindre la sagesse qui consiste à n'être curieux que de ce que l'on est apte à comprendre, autrement dit à accepter sans mépris ni sentiment de vaine gloire les faiblesses et les grandeurs de la nature humaine. Et Montaigne, en effet, cherche à devenir sage plutôt que docte avec présomption. C'est ainsi qu'il refuse de disputer de questions qu'il n'entend guère: 'je ne tasche point à donner à connoistre les choses' (II, x, p. 75), précise-t-il à l'intention de son lecteur, et il ajoute qu'il 'ne demande qu'à devenir plus sage, non plus sçavant ou eloquent' (*Ibid.*, p. 82). En vérité, le seul sujet pour lequel il se sente qualifié est celui qui touche à sa personne. Alors il peut être curieux à bon escient et se consacrer à cette seule 'science qui, précise-t-il, traicte de la connoissance de [soi] mesmes' (*Ibid.*, p. 76) et, ce faisant, de celle de l''estre universel' puisque 'chaque homme porte la forme entiere de l'humaine condition' (III, ii, p. 147).

(C) Accepter les choses plutôt qu'en donner une explication vaine

Sage, Montaigne ne s'occupe donc pas d'expliquer l'inexplicable: ce serait aller contre le bon sens. Il se conforme plutôt à la nature des choses et accepte le monde avec ses mystères et ses illogismes, au lieu de chercher vainement des solutions et de construire des systèmes dont il sait qu'ils ne peuvent être qu'inexacts. C'est ainsi qu'il respecte 'l'authorité de [. . . la] police ecclesiastique' sans mettre 'à nonchaloir certains points de l'observance de [. . . l'] Eglise', car il est sensé d'admettre que 'ce n'est pas à nous à establir la part que nous luy devons d'obeïssance' (I, xxvii, p. 12) Et, d'une manière générale, sachant que 'le monde n'est qu'une escole d'inquisition' et qu'il ne nous appartient pas de posséder toute la vérité qui demeure 'eslevée en hauteur infinie en la cognoissance divine' (III, viii, p. 194), Montaigne se laisse 'negligemment manier à la loy generale du monde' (III, xiii, p. 225), puisque 'vaine est l'entreprise de celuy qui presume d'embrasser et causes et consequences' (III, viii, p. 202).

Conclusion

En écrivant les *Essais,* Montaigne a eu moins la 'consideration [. . . de sa] gloire' (I, *Au Lecteur*, p. 1) que le désir de rechercher une sagesse qui consiste à 'souffrir doucement les loix de nostre condition' (III, xiii, p. 245). Car c'est folie de prétendre que la raison soit infaillible et puisse rivaliser de savoir avec Dieu. Aussi le guide à suivre pour satisfaire une curiosité légitime et le noble désir de comprendre et d'expliquer est-il le bon sens qui seul se conforme aux possibilités et aux limites particulières à la nature humaine. C'est effectivement en prenant conscience de son incapacité de disputer de tout que l'homme pourra parvenir à bien juger de ce qui relève de sa compétence et de ce qui la dépasse ; c'est en connaissant les limites de sa connaissance des choses qu'il évitera de faire des erreurs sur le monde et sur soi ; et c'est donc en acceptant de ne point résoudre toutes les questions que la curiosité ne cesse de poser qu'il parviendra à coïncider avec ce qu'il est véritablement pour ne plus faire alors figure de prétentieux insensé, mais bien de sage digne de foi et respectueux d'une juste gloire.

Bernard Jean MONTAIGNE

5

'Si l'homme estoit sage, il prenderoit le vray pris de chasque chose selon qu'elle seroit la plus utile et propre à sa vie.' (II, xii, *pléiade*, p. 467)

Introduction

Montaigne ne veut pas être philosophe. Il renonce aux deux ambitions de la pensée antique, la recherche du vrai et du bien. Il est lui-même peu enclin à la méditation abstraite, mais surtout, sceptique, il est parvenu à la conclusion que vérités et valeurs sont hors de la portée de notre raison faible. Il essaie donc de remplacer ces deux notions par une troisième : le critère pragmatiste d'utilité : 'si l'homme estoit sage, il prenderoit le vray pris de chasque chose selon qu'elle seroit la plus utile et propre à sa vie'. Nous devrons choisir nos opinions et nos démarches, en les mesurant à cette aune nouvelle, et non pas en nous demandant si elles sont justes ou vraies. Certes, il aurait été préférable d'avoir des certitudes mais où les trouver ? En morale, 'l'utile est de beaucoup moins aimable que l'honneste' (II, viii, p. 53), mais qui nous dira en quoi consiste ce dernier ? Montaigne se résigne volontiers à une philosophie au rabais. Il a pour lui l'exemple de Socrate, 'qui ramena du ciel, où elle perdoit son temps, la sagesse humaine, pour la rendre à l'homme, où est sa plus juste et plus laborieuse besoigne, et plus utile' (III, xii, *pléiade*, p. 1015). Nous examinerons dans les détails ce pragmatisme humaniste de Montaigne en essayant de voir comment il est lié à la personnalité de l'auteur ainsi qu'aux autres aspects de sa pensée.

(I) La folie de priser les choses inutiles à la vie

Dans sa recherche des choses propres à la vie, l'homme devra commencer par écarter celles qui sont inutiles. Ce n'est pas là l'opération la plus difficile de la sagesse, mais c'est la plus importante.

(A) Inutilité des sciences coupées de la vie

Montaigne s'insurge contre le savoir qui n'a pas d'application directe. L'astronomie, tout autant, sinon plus, que l'astrologie, irrite son humeur : 'ces gens qui se perchent à chevauchons sur l'epicycle de Mercure, qui voient si avant dans le ciel, ils m'arrachent les dens' (II, xvii, p. 112) déclare-t-il. En effet, de quelle conséquence le mouvement des astres peut-il être pour 'l'instruction de nostre vie et [...] son usage' (I, xxvi, p. 298)? Il y a ainsi un grand nombre de sciences coupées de la vie. Par orgueil, nous voulons nous mesurer à elles. Mais 'si nous sçavions restraindre les appartenances de nostre vie à leurs justes et naturels limites, nous trouverions que la meilleure part des sciences qui sont en usage, est hors de notre usage' (*Ibid.*, pp. 298–9).

(B) Les deux fléaux: la gloire et la curiosité

'La gloire et la curiosité sont les deux fleaux de nostre âme' (I, xxvii, p. 12), car ce sont elles qui nous poussent à rechercher la connaissance de l'inutile. La première 'nous conduit à mettre le nez par tout' et la seconde 'nous defant de rien laisser irresolu et indecis' (*Id.*). Montaigne attaque à la fois deux tendances de l'esprit humain, le désir vain, et même vaniteux, d'avoir des lumières sur tout, et la duperie de nous contenter de réponses approximatives ou incertaines: 'j'ay peur que nous avons les yeux plus grands que le ventre, et plus de curiosité que nous n'avons de capacité. Nous embrassons tout, mais nous n'étreignons que du vent' (I, xxxi, p. 29). On pourrait penser que la curiosité, en elle-même, ne constitue pas un si grave inconvénient. Mais, toujours accompagnée de la gloire, elle conduit à une fausse science. Mélange d'inquiétude et de suffisance, l'homme construit une apparence de savoir. 'La curiosité de connoistre les choses a esté donnée aux hommes pour fleau, dit la saincte parole' (II, xvii, p. 112).

(C) La connaissance de l'inutile est folie

Montaigne refuse de faire un ouvrage savant: 'qui sera en cherche de science, si la pesche où elle se loge: il n'est rien dequoy je face moins de profession' (II, x, p. 74). Il abandonne ce soin aux moins sages. Il y a une science qui est folie et ignorance, alors que 'l'ignorance qui se sçait, qui se juge et qui se condamne, ce n'est pas une entiere ignorance: pour l'estre, il faut qu'elle s'ignore soy mesme' (II, xii, *pléiade*, p. 482). Il n'hésite donc pas à glorifier l'ignorance, 'doux et mol chevet' (III, xiii, p. 225), et ne craint pas lui-même d'en être accusé: 'qui me surprendra d'ignorance, il ne fera rien contre moy, car à peine respondroy-je à autruy de mes discours, qui ne m'en responds point à moy; ny n'en suis satisfaict' (II, x, p. 74).

(II) Seules sont vraiment prisables les choses utiles à la vie

Nous ne devons pas conclure, de ce que certaines sciences sont condamnées par Montaigne, à un scepticisme absolu de notre auteur. L'honnêteté de l'ignorance est opposée à la vanité de la science inutile, mais tous les efforts vers le savoir ne sont pas vains.

(A) Le désir naturel de connaître les choses

Notre auteur le reconnaît bien volontiers: 'il n'est desir plus naturel que le desir de connoissance [...]. Quand la raison nous faut, nous y employons l'experience, qui est un moyen plus foible et moins digne; mais la vérité est chose si grande, que nous ne devons desdaigner aucune entremise qui nous y conduise' (III, xiii, pp. 214–5). Cet appel à l'expérience représente une forme particulière d'acquisition du savoir: l'apprentissage. La vie elle-même nous apprend à vivre. Cette notion d'apprentissage des choses se retrouve souvent dans les *Essais* et nuance la glorification de l'ignorance. 'Mon apprentissage n'a d'autre fruict que de me faire sentir combien il me reste à apprendre' (*Ibid.*, p. 228). Il y a chez Montaigne une soif de connaissance au moins égale à ses doutes quant à la valeur de cette connaissance. Il nous conte annecdote sur annecdote, puise dans ses souvenirs, invoque le témoignage de gens qu'il a connus. Tout cela, plus encore que les innombrables citations d'auteurs, qu'il faut mentionner aussi, constitue cette expérience du monde, ce savoir qui se cherche et que Montaigne appelle sagesse.

(B) Mais il n'est de connaissance véritable que celle des choses utiles à la vie

Parlant de ses opinions, Montaigne écrit: 'je ne me soucie pas tant de les avoir vigoreuses et doctes, comme je me soucie de les avoir aisées et commodes à la vie' (III, ix, *pléiade*, p. 929). Jamais il ne se présente comme le spécialiste d'une question. En fait, il ne traite pas vraiment les problèmes qu'il aborde; son véritable propos, c'est le lien entre son sujet et la vie. Ainsi, Montaigne ne parle des 'Cannibales' que pour mieux juger la société française du XVIème siècle dans laquelle il vit et pour formuler des principes généraux d'éthique. Il ne nous propose pas une connaissance des peuples primitifs pour nous donner le plaisir gratuit de connaître ces étrangers ou pour étaler sa documentation. Remarquons que les narrations proprement dites n'interviennent que dans la deuxième partie de l'essai, après de longues considérations abstraites. De même, il lit les historiens, point tant pour avoir une connaissance désintéressée du passé, que pour mieux saisir le présent qui le touche, qui est sa propre vie. Il écrit à ce sujet: 'les Historiens sont ma droitte bale: ils sont plaisans et aysez; et quant et quant l'homme en general, de qui je cherche la cognoissance, y paroist plus vif et plus entier qu'en nul autre lieu' (II, x, p. 85).

(C) La connaissance utile des choses se confond avec la connaissance de soi

Utiliser des connaissances, c'est toujours les rapporter à soi-même. Le premier devoir de l'homme, c'est de se connaître, et une science est inutile dans la mesure où elle nous éloigne de nous-mêmes. De ceux qui n'ont pas compris ce principe fondamental et s'engagent dans la poursuite d'une science stérile, Montaigne nous dit: 'puis que ces gens là n'ont peu se resoudre de la connoissance d'eux mesmes et de leur propre condition, qui est continuellement presente à leurs yeux, qui est dans eux; puis qu'ils ne sçavent comment branle ce qu'eux mesmes font branler, ny comment nous peindre et deschiffrer les ressorts qu'ils tiennent et manient eux mesmes, comment je les croirois de la cause du flux et reflux de la riviere du Nile' (II, xvii, p. 112). Quant à notre auteur, il se garde bien d'une semblable inconséquence: 'je ne cherche aux livres qu'à m'y donner du plaisir par un honneste amusement; ou, si j'estudie, je n'y cherche que la science qui traicte de la connoissance de moy mesmes' (II, x, p. 76). Le moi est le seul sujet qui vaille la peine d'être connu: 'les autres vont tousjours ailleurs, s'ils y pensent bien; ils vont tousjours avant, moy je me roulle en moy mesme' (II, xvii, p. 140). La science du moi remplace les autres sciences: 'je m'estudie plus qu'autre subject. C'est ma metaphisique, c'est ma phisique' (III, xiii, p. 224). Cette préoccupation de l'auteur sera reflétée dans la matière qu'il livre à ses lecteurs: 'je ne tasche point à donner à connoistre les choses, mais moy' (II, x, p. 75), leur déclare-t-il.

(III) La sagesse de priser l'utile et de mépriser l'inutile à la vie

Ce pragmatisme de Montaigne, ce refus de toute poursuite désintéressée du savoir, occupent une place centrale dans la pensée de l'auteur, car ils forment une partie de la sagesse qui est le but ultime de la philosophie.

(A) C'est sagesse, car c'est accepter la condition d'homme

Tout d'abord, priser les choses utiles à la vie est sagesse, car c'est accepter notre condition d'homme. Nous avons vu que le moi était le seul sujet digne d'étude. Il faut ajouter que c'est le seul que nous puissions connaître parfaitement. Pour le sceptique Montaigne, tout nous échappe sauf ce qui est en rapport avec nous-mêmes: 'quoy qu'on nous presche, quoy que nous aprenons, il faudroit tousjours se souvenir que c'est l'homme qui donne et l'homme qui reçoit' (II, xii, *pléiade*, p. 546). En 'nostre condition fautiere' (*Id.*), nous devons nous rappeler sans cesse que 'nostre cognoissance [est] foible en tous sens' (III, vi, p. 175). Il ne s'agit pas 'de mespriser ce que nous ne concevons pas' (I, xxvii, p. 12), mais plutôt de faire usage d''une honeste curiosité' (I, xxvi, p. 295). Et cette saine curiosité, c'est celle de l'utile. Elle est possible parce qu'elle est à notre mesure.

(B) C'est sagesse, car c'est vivre son savoir

Dans son chapitre sur l'enseignement, Montaigne nous dévoile un des principes fondamentaux de sa pédagogie: que le maître ne demande pas seulement compte à l'élève 'des mots de sa leçon, mais du sens et de la substance, et qu'il juge du profit qu'il aura fait, non par le tesmoignage de sa memoire, mais de sa vie' (*Ibid.*, p. 288). Cette idée que l'utilité—ou le profit—du savoir réside dans le fait qu'il est vécu, se retrouve à tous les moments de l'éducation, et, à la fin, le produit des méthodes de Montaigne sera un sage, c'est-à-dire plutôt 'un habil' homme qu'un homme sçavant' (*Ibid.*, p. 287), plutôt un homme à 'la teste bien faicte que bien pleine' (*Id.*), plutôt un homme qui s'attache aux 'meurs' et à l''entendement' qu'à 'la science' (*Id.*). Ce modèle d'instruction parfaite sera éminemment adapté à la vie, et il saura choisir les choses les plus 'propres à sa vie'. Il sera tempérant, car 'l'intempérance est peste de la volupté, et la tempérance n'est pas son fleau' (III, xiii, p. 273); il se pliera à l'ordre social, car les changements entraînent des troubles et des guerres; et il croira plutôt à ce qui pourra lui apporter quelque soulagement qu'à ce qui risquerait de jeter le trouble dans son âme.

(c) C'est sagesse, car c'est philosopher

Pour Montaigne, la philosophie se réduit à peu de chose: apprendre 'à bien mourir et à bien vivre' (II, x, p. 76). Or, rien ne peut mieux nous enseigner cela qu'une connaissance des choses utiles à la vie, et les choses utiles à la vie sont les mêmes que les choses utiles à la mort, nous voulons dire par là celles qui nous aident à supporter l'idée de la mort, tant il est vrai que bien vivre, c'est vivre une vie exempte de craintes et de souffrances morales. La résignation devant la mort, la confiance en la nature, voilà, au plus haut degré, des choses 'utiles et propres à [la] vie'. En face de cette sagesse, la sapience traditionnelle est de peu de secours: 'il ne nous faut guiere de doctrine pour vivre à nostre aise' (III, xii, *pléiade*, p. 1016). Il suffira à l'homme de mettre le monde qui l'entoure en rapport avec sa vie, ce qui peut se faire à tout instant. 'Un cabinet, un jardin, la table et le lit, la solitude, la compaignie, le matin et le vespre, toutes heures luy seront unes: toutes places luy seront estude: car la philosophie, qui, comme formatrice des jugements et des meurs, sera sa principale leçon, a ce privilege de se mesler par tout' (I, xxvi, p. 305). Et cette étude de l'utile est la seule qui nous apprendra à mourir: 'je remets à la mort l'essay du fruict de mes estudes' (I, xix, p. 7), nous annonce-t-il avec un calme courage, une assurance où se devine une certitude.

Conclusion

Montaigne préférait poser les questions qu'essayer de les résoudre. En nous recommandant de priser les choses utiles à la vie, il apporte, néanmoins, autant qu'il lui est possible, une solution au problème du doute. Esquisse d'un pragmatisme, ce conseil nous permettra d'échapper au scepticisme. Certes, notre philosophie sera dépourvue de la notion de bien absolu, mais nous saurons déterminer les choses bonnes, ce qui est bien suffisant et revient finalement au même. A côté des incertitudes théoriques de Montaigne, nous trouvons donc toute une réflexion positive et tournée vers l'action.

Bernard Jean MONTAIGNE

6

'C'est une absolue perfection, et comme divine, de sçavoyr jouyr loiallement de son estre.' (III, xiii, p. 279)

Introduction

L'épicurisme fut une philosophie maudite. On déshonora la mémoire de son fondateur en créant la légende infamante d'un viveur effréné, libertin et blasphémateur. Lucrèce prit la défense du système réprouvé et révéla l'injustice des attaques séculaires dont celui-ci avait été l'objet. Lorsque Montaigne déclare, en conclusion aux *Essais,* que 'c'est une absolue perfection, et comme divine, de sçavoyr jouyr loiallement de son estre' (III, xiii, p. 279), il montre qu'il est parfaitement conscient de la grande querelle de l'épicurisme. Mais il se range aux côtés des partisans, non des diffamateurs. Pour lui, la leçon d'Epicure, qui est de profiter de la vie, n'a rien de démoniaque ou d'impie. C'est au contraire une sagesse 'comme divine', non une abjection, mais 'une absolue perfection'. Diviniser le pourceau d'Epicure, voilà une attitude bien paradoxale, et donc, bien digne de Montaigne, qui imprime sa marque personnelle sur tout ce qu'il touche. Voyons dans quelle mesure l'épicurisme lui-même sera transfiguré par le traitement que lui fait subir notre auteur.

(I) La jouissance de soi

Chez les épicuriens, la jouissance de soi est l'aboutissement d'une connaissance du monde. C'est pourquoi le poème de Lucrèce s'intitule *La Nature* et vise avant tout à décrire l'univers. Montaigne, pour qui le souci d'étudier le monde a été remplacé par la connaissance de soi, semble nous offrir un système plus cohérent, car la jouissance de soi et la connaissance de soi se nourrissent l'une l'autre.

(A) Se connaître

Apprendre à se connaître est l'activité la plus importante, le devoir de tout homme digne de ce nom. Aussi, Montaigne pédagogue veut-il donner à son élève des précepteurs 'qui luy apprendront à se connoistre, et à sçavoir bien mourir et bien vivre' (I, xxvi, p. 298). Et c'est bien là ce que fait l'auteur des *Essais,* qui déclare à son lecteur : 'je suis moymesmes la matiere de mon livre : ce n'est pas raison que tu employes ton loisir en un subject si frivole et si vain' (I, *Au Lecteur*, p. 2). Or, cette nécessité de se connaître soi-même, loin d'être une tâche pénible ou ingrate, se révèle source de joie.

(B) Les joies de l'introspection

En effet, c'est parce qu'il 'ne vise [. . .] qu'à decouvrir [soy] mesmes (I, xxvi, p. 285), que Montaigne connaît la jouissance la plus délectable, qui est celle de l'introspection. Une étude du vocabulaire suffit à le prouver: lorsqu'il parle de l'observation de soi, Montaigne en parle toujours comme d'un 'amusement': 'le monde regarde tousjours vis à vis; moy, je replie ma veue au dedans, je la plante, je l'amuse là. [. . .] Je me gouste. [. . .] Je me roulle en moy mesme' (II, xvii, p. 140). D'où vient cette jouissance que procure la connaissance de soi? Elle provient du fait que se connaître, c'est découvrir avec ravissement qu'on a en soi la force d'être soi-même.

(C) La force joyeuse d'être soi-même

Le sujet a la révélation de sa propre richesse intérieure, et par là même de son originalité, de son énergie et de sa vigueur: 'je ne me soucie pas tant quel je sois chez autruy, comme je me soucie quel je sois en moy mesme. Je veux estre riche par moy, non par emprunt' (II, xvi, *pléiade*, pp. 608–9). Certes, cette affirmation de la première édition semble être contredite par les nombreuses citations d'auteurs latins et modernes qui viendront s'ajouter au texte de Montaigne dans les éditions suivantes. Mais, outre qu'il cite souvent des pensées qu'il réfute ou désapprouve, il y a chez lui, même quand il appelle à son aide la sagesse des livres, le sentiment que son avis personnel devrait compter davantage. Il confesse: 'j'aymerois mieux m'entendre bien en moy qu'en Ciceron' (III, xiii, p. 226), ou encore: 'nous nous laissons si fort aller sur les bras d'autruy, que nous aneantissons nos forces. Me veus-je armer contre la crainte de la mort? C'est aux depens de Seneca. Veus-je tirer de la consolation pour moy, ou pour un autre? je l'emprunte de Cicero. Je l'eusse prise en moy-mesme, si on m'y eust exercé. Je n'ayme point cette suffisance relative et mendiée' (I, xxv, *pléiade*, p. 137).

(II) La jouissance de soi n'est pas toujours jouissance

Mais la jouissance de soi n'est pas toujours jouissance. De même que le corps a ses maladies, l'esprit a ses faiblesses, et, tant dans l'expression de soi que dans la connaissance de soi, Montaigne rencontre des revers.

(A) Le moi n'est pas toujours de bonne compagnie

En partant à la découverte de lui-même, il ne trouve pas seulement son originalité et sa force, mais aussi ses défauts. Il en est conscient, puisqu'il déclare au lecteur des *Essais*: 'mes defauts s'y liront au vif, et ma forme naïfve, autant que la reverence publique me l'a permis' (I, *Au Lecteur*, p. 1). Dans le chapitre 'De la Præsumption', il signale ses inaptitudes physiques et ses insuffisances de caractère. Peu actif, pas du tout adroit, et incapable de maintenir son effort s'il n'y est 'alleché par quelque plaisir' (II, xvii, p. 121), il se voit comme un 'naturel poisant, paresseux et fay neant' (*Ibid.*, p. 122), 'une complexion delicate et incapable de sollicitude' (*Ibid.*, p. 123). Ce bilan négatif est de nature à porter atteinte à la jouissance de soi.

(B) La jouissance de soi est une mutilation de soi

La jouissance de soi est une mutilation de soi, car elle implique un repli égoïste sur soi, une coupure avec le monde, un emprisonnement dans une tour d'ivoire. Montaigne se rend compte que le souci de profiter de la vie, le poussant à écarter toute contrainte, a eu une mauvaise influence sur sa personnalité: 'cela m'a amolli et rendu inutile au service d'autruy, et ne m'a faict bon qu'à moy' (*Ibid.*, p. 122). Or, être ainsi 'sans consideration d'autruy' (*Ibid.*, p. 129) pour trop vouloir se considérer soi-même, c'est du même coup se priver de 'la communication d'autruy (qui est une des plus belles escholes qui puisse estre)' (I, xvii, *pléiade*, p. 71).

(C) La jouissance de soi est orgueilleuse

Si nous nous intéressons à nous-mêmes, c'est que nous nous désintéressons de Dieu autant que de nos semblables. Cela ressortait déjà de l'épicurisme qui avait déclaré les dieux indifférents au destin de l'homme pour justifier sa propre indifférence à l'endroit des dieux. Montaigne, qui n'est pas athée, éprouve parfois un sentiment de culpabilité, car il sent que le culte du moi favorise ce qu'il hait le plus en l'homme: l'orgueil: 'j'advoue qu'il se peut mesler quelque pointe de fierté et d'opiniastreté à se tenir ainsin entier et descouvert' (II, xvii, p. 129). Il s'agit donc de trouver une dimension religieuse à la jouissance de soi.

(III) La jouissance de soi est une perfection absolue

(A) Perfection naturelle

La jouissance de soi, nous l'avons vu, commence par la connaissance de soi. Or, celle-ci est pour Montaigne une perfection naturelle, parce que c'est la seule connaissance possible: 'jamais homme ne traicta subject qu'il entendit ne cogneust mieux que je fay celuy que j'ay entrepris, et [. . .] en celuy-là je suis le plus sçavant homme qui vive' (III, ii, p. 148). C'est aussi une perfection naturelle, car la connaissance de soi est une connaissance non seulement possible, mais encore totale. Montaigne, en effet, a conscience de pouvoir saisir son 'estre universel' (*Ibid.*, p. 147), c'est-à-dire la totalité de lui-même et par conséquent l'essence véritable de la nature humaine, puisque 'chaque homme porte la forme entiere de l'humaine condition' (*Id.*).

(B) Perfection divine

Cette perfection naturelle se confond avec une perfection divine, car, chez Montaigne, la nature et Dieu sont étroitement associés: 'Dieu donne le froid selon la robe, et me donne les passions selon le moien que j'ay de les soustenir. Nature, m'ayant descouvert d'un costé, m'a couvert de l'autre' (III, vi, p. 166). Si le rôle de Providence est partagé par Dieu et la nature, c'est que ce qui est naturel est également divin, et la connaissance de soi, perfection naturelle, est aussi perfection divine. Montaigne, ici, combine curieusement le stoïcisme, qui prétendait faire de l'homme l'égal des dieux et l'épicurisme, qui ne voulait rien placer au-dessus de l'humain. Notre auteur divinise l'humain: 'la gentille inscription de quoy les Atheniens honorerent la venue de Pompeius en leur ville, se conforme á mon sens:

> D'autant es tu plus Dieu comme
> Tu te recognais homme'

(III, xiii, p. 279). C'est dans la mesure où l'homme exploite à fond son humanité qu'il est divin. Ainsi, il n'y a pas de conflit, dans le système optimiste de Montaigne, entre la jouissance de soi et l'idée religieuse. 'Pour moy donc, j'ayme la vie et la cultive telle qu'il a pleu à Dieu nous l'octroier' (*Ibid.*, p. 276), déclare-t-il avec toute la sécurité que procure une complète satisfaction.

(C) Parfaite sagesse

Cette aptitude à jouir de la perfection naturelle et divine qu'il y a à se pratiquer soi-même n'est autre, en fait, que l'expression d'une sagesse elle-même parfaite. En effet, pour Montaigne, 'la plus expresse marque de la sagesse, c'est une esjouïssance constante' (I, xxvi, p. 301), or rien n'est plus durablement joyeux que de se découvrir et de se prendre tel que Dieu et la nature ont voulu que l'on soit: 'mes actions sont reglées et conformes à ce que je suis et à ma condition. Je ne puis faire mieux' (III, ii, p. 157). Et n'est-ce point une parfaite et sereine sagesse qui fait déclarer à Montaigne: 'si j'avois à revivre, je revivrois comme j'ay vescu' (*Ibid.*, p. 161)?

Conclusion

Montaigne, comme Epicure, pense qu'il faut profiter de la vie. Il fait de ce principe une école de sagesse et escompte nous conduire ainsi au bonheur. Mais ce bonheur, chez le philosophe français, constitue un idéal plus élevé et plus raffiné. Jouir de son être, c'est d'abord éprouver la joie de se connaître, mais c'est aussi trouver la force de s'accepter soi-même, d'accepter la vie, et, en définitive, comme pour l'épicurisme, d'accepter la mort.

François Mouret MONTAIGNE

7

'Il y a deux hommes en Montaigne: un esprit critique redoutable qui sape impitoyablement toutes les institutions, et un conservateur têtu qui les redresse aussitôt.' (P. Villey)

Introduction

Respectueux du fait que 'la plus part des choses du monde se font par elles mesmes' (III, viii, p. 201) et conscient, par ailleurs, qu'il est lui-même de complexion changeante, Montaigne n'a jamais songé à organiser ses pensées, à les intégrer dans un système dont il sait que la rigueur et la cohérence ne pourraient être qu'apparentes. Ainsi, l'auteur des *Essais* est-il d'autant plus insaisissable et fuyant qu'il se conforme très honnêtement aux imprévus de la vérité des choses qu'il observe. Et c'est bien, en effet, une impression de fugacité que cette pensée mouvante en tous sens laisse aux lecteurs. L'un d'eux, P. Villey, est particulièrement sensible à ce que peuvent avoir de contradictoire les réflexions du philosophe sur l'ensemble des lois humaines qui règlent la vie en société, et il écrit: 'il y a deux hommes en Montaigne: un esprit critique redoutable qui sape impitoyablement toutes les institutions, et un conservateur têtu qui les redresse aussitôt'. Il semblerait donc que dans le conflit intérieur qui s'élève entre le respect de l'ordre établi et le désir de réformer, ce soit finalement le maintien des traditions qui l'emporte. Toutefois, celui qui se voulait peintre du 'passage' (III, ii, p. 147) n'a-t-il pas suggéré une orientation souhaitable de l'évolution des mœurs et cédé à la tentation de légiférer, ne serait-ce que pour mettre un terme à certains abus de la société de son temps? Mais si, véritablement, il se comporte tantôt comme un critique audacieux et tantôt comme un conservateur prudent, quel est alors, par delà ces contradictions mêmes, le vrai Michel de Montaigne, le 'troisième homme' qui permet aux deux autres de s'opposer tour à tour?

(I) Le conservateur triomphe des attaques du critique

A lire les *Essais*, on constate à plusieurs reprises que l'auteur considère les institutions d'un œil critique et envisage des réformes, mais qu'après s'être montré 'enquerant' il songe aussitôt qu'il est 'ignorant', et qu'en fin de compte il s'en remet 'purement et simplement, aux creances communes et legitimes' (*Ibid.*, p. 149).

(A) Montaigne critique par scepticisme

Dans un premier temps, Montaigne remarque en effet que les règles selon lesquelles les hommes ont décidé de vivre en société ne sont ni équitables ni conformes à la nature des choses. Et c'est alors qu'il fait un procès lucide et sévère des institutions: 'les loix se maintiennent en credit, non par ce qu'elles sont justes, mais par ce qu'elles sont loix', déclare-t-il; puis il ajoute, accusant les législateurs d'incapacité: 'elles sont souvent faictes par des sots, plus souvent par des gens qui, en haine d'equalité, ont faute d'equité, mais tousjours par des hommes, autheurs vains et irresolus. Il n'est rien si lourdement et largement fautier que les loix, ny si ordinairement' (III, xiii, p. 224). Mais pourquoi tant d'erreurs si fréquemment répétées? Parce que 'nostre cognoissance, qui est un miserable fondement de nos regles [. . .] nous represente volontiers une tres-fauce image des choses' (III, vi, p. 176). La raison qui est faillible ne peut donc pas fournir de directives sûres. En fait, quiconque légifère se contente de codifier ce que la fortune a décidé. Et Montaigne de remarquer à ce propos: 'la necessité compose les hommes et les assemble. Cette cousture fortuite se forme après en loix' (III, ix, *pléiade*, p. 934). De si abondantes réflexions critiques sur l'état des institutions sembleraient donc devoir s'accompagner de projets de réformes.

(B) Montaigne doute de l'utilité d'une réforme

Or il n'en est rien. Le même scepticisme qui incite Montaigne à dénoncer l'imperfection des lois l'amène à douter de l'utilité d'un changement, car réformer, n'est-ce point remplacer des règles qui ne sont point bonnes par d'autres qui seront tout aussi mauvaises? L'expérience, en effet, en a convaincu souventes fois le philosophe qui déclare: 'il est bien aisé d'accuser d'imperfection une police, car toutes choses mortelles en sont pleines; il est bien aisé d'engendrer à un peuple le mespris de ses anciennes observances: jamais homme n'entreprint cela qui n'en vint à bout; mais d'y restablir un MEILLEUR estat en la place de celuy qu'on a ruiné, à cecy plusieurs se sont morfondus, de ceux qui l'avoient entreprins' (II, xvii, p. 138). Non seulement Montaigne a le sentiment qu'une réforme n'améliore pas nécessairement l'état des choses condamné, mais encore il sait qu'elle peut être fort imprudente, car 'il n'est rien qui nous jette tant aux dangers qu'une faim inconsiderée de nous en mettre hors' (III, vi, p. 166). Enfin, il suffit d'examiner ce que les novateurs ont fait, chacun à son époque, pour constater que les changements empirent bien souvent ce qu'ils devraient rendre meilleur : 'ceux qui ont essaié de r'aviser les meurs du monde, remarque Montaigne, reforment les vices de l'apparence ; ceux de l'essence, il les laissent là, s'ils ne les augmentent : et l'augmentation y est à craindre ; on se sejourne volontiers de tout autre bien faire sur ces reformations externes arbitraires, de moindre coust et de plus grand merite ; et satisfait-on par là à bon marché les autres vices naturels consubstantiels et intestins' (III, ii, p. 154). Et c'est ainsi que, doutant de l'efficacité d'une réforme pour les mêmes raisons qui lui font critiquer l'état présent des choses, Montaigne devient conservateur par scepticisme.

(c) Montaigne conservateur par scepticisme

Ne voulant imiter en rien 'ceux qui cherchent à troubler et changer l'estat de nostre police, sans se soucier s'ils l'amenderont' (I, xxviii, p. 27), l'auteur des *Essais* avoue qu'il est effectivement 'desgousté de la nouvelleté, quelque visage qu'elle porte', car il en a 'veu des effets très-dommageables' (I, xxiii, *pléiade,* p. 118). Il se défie donc de tout changement et finit par accepter et vouloir maintenir et observer ce que tantôt il critiquait. Ce mouvement de va-et-vient d'une pensée dubitative apparaît notamment si l'on compare les différentes attitudes de Montaigne à l'égard des règlements de l'Eglise. Dans sa jeunesse, il a tout d'abord fait preuve d'esprit critique et, usant 'de cette liberté de [son] chois et triage particulier', il a mis 'à nonchaloir certains points de l'observance de [. . . l'] Eglise, qui semblent avoir un visage ou plus vain ou plus estrange'. Puis il a douté de ses compétences, n'a plus osé réformer l'ordre établi depuis des siècles et a découvert, en dernier lieu, que 'ces choses là ont un fondement massif et tressolide : et que ce n'est que bestise et ignorance qui nous fait les recevoir avec moindre reverence que le reste'. Et c'est alors qu'il a accepté de 'se submettre du tout à l'authorité de [. . . la] police ecclesiastique' car 'ce n'est pas à nous à establir la part que nous luy devons d'obeïssance' (I, xxvii, p. 12). La détermination de tout conserver sans rien changer est donc la conséquence même de ces critiques que Montaigne ne cesse de faire avec vigueur.

(ii) Quand le critique l'emporte sur le conservateur

Si, par scepticisme, le philosophe adopte une attitude de conservateur qui veut maintenir l'état des choses, il n'ignore pas pour autant que 'le monde n'est qu'une branloire perenne', que rien n'y est immuable, que 'toutes choses y branlent sans cesse' et que 'la constance mesme' à laquelle va sa préférence 'n'est autre chose qu'un branle plus languissant' (III, ii, pp. 146–7). Or, puisque le conservatisme conduit par le fait à accepter un changement à peine moins précipité que celui préconisé par les réformateurs, Montaigne, qui lui aussi sait critiquer les vices des institutions, n'a-t-il pas jugé parfois souhaitable d'orienter ce 'branle' général et inévitable dans telle ou telle direction?

(A) Inconséquence du conservatisme

L'occupation majeure de l'auteur des *Essais* qui était de se peindre soi-même en sa 'façon simple, naturelle et ordinaire' (I, *Au Lecteur*, p. 1), amène l'égotiste à découvrir peu à peu que son âme, 'tousjours en apprentissage et en espreuve', ne peut 'prendre pied' et qu'il est impossible de parvenir à se 'résoudre' ou à 'asseurer [son] object'. Et ce qui est son fait est aussi celui de 'l'humaine condition' dont chacun 'porte la forme entiere' (III, ii, p. 147). Si donc les hommes sont en continuel devenir, n'est-ce point aller 'au revers du cours de nature'—ce qui 'peut estre fascheux' (III, xiii, p. 262)—que de vouloir les astreindre à observer des règles immuables? A cette question Montaigne répond: 'il y a peu de relation de nos actions, qui sont en perpetuelle mutation, avec les loix fixes et immobiles' (*Ibid.*, p. 216). Le conservateur est donc inconséquent et inconsidéré puisqu'il fait s'accroître toujours plus le décalage entre la permanence d'institutions fixes et l'évolution des individus. Et Montaigne de s'attaquer alors au conservatisme érigé en système.

(B) Le conservatisme est folie

Dans le chapitre: 'De l'affection des peres aux enfans' (II, viii, p. 51), l'auteur condamne en effet certaines traditions que l'on maintient, non parce qu'elles sont bonnes ou utiles, mais simplement parce que, par opiniâtreté, on ne veut rien changer. C'est ainsi que Montaigne s'en prend à tout ce qui n'obéit pas à 'Nature', ce 'guide [. . .] prudent et juste' (III, xiii, p. 277) et, en particulier, 'à cette coustume d'interdire aux enfans l'appellation paternelle et leur en enjoindre un'estrangere, comme plus reverentiale, nature n'aiant volontiers pas suffisamment pourveu à nostre authorité' (II, viii, p. 61)! Et il 'veut mal' également à cet autre usage qui consiste à faire témoigner un respect craintif aux parents par des fils devenus adultes; 'c'est, s'écrie-t-il, injustice et folie de priver les enfans qui sont en aage de la familiarité des peres, et vouloir maintenir en leur endroict une morgue austere et desdaigneuse, esperant par là les tenir en crainte et obeissance. Car c'est une farce tres-inutile qui rend les peres ennuieux aux enfans et, qui pis est, ridicules. Ils ont la jeunesse et les forces en la main, et par consequent le vent et la faveur du monde; et reçoivent avecques mocquerie ces mines fieres et tyranniques d'un homme qui n'a plus de sang ny au cœur ny aux veines, vrais espouvantails de cheneviere' (*Id.*). Montaigne désapprouve donc tout immobilisme, tout excès d'obéissance passive et aveugle, tout refus d'adapter les usages à l'état présent de la nature des choses.

(c) Le bon sens exige des réformes

Ainsi une réforme s'impose au nom même du bon sens. Et de fait, l'auteur des *Essais* demande, entre autres, l'abolition de cette pratique inhumaine qu'est la torture des accusés. D'une part, ce procédé mis en vigueur à des époques sauvages n'est pas conforme à la vie d'un état policé ; et c'est pourquoi, après avoir discouru des mœurs des Cannibales, Montaigne fait une comparaison avec celles de son temps, ce qui lui permet d'accuser plus encore l'atrocité d'usages perpétués dans une société qui s'estime supérieure et civilisée: 'je ne suis pas marry, écrit-il alors, que nous remerquons l'horreur barbaresque qu'il y a en une telle action, mais ouy bien dequoy, jugeans bien de leurs fautes, nous soyons si aveuglez aux nostres. Je pense qu'il y a plus de barbarie à manger un homme vivant qu'à le manger mort, à deschirer, par tourmens et par geénes, un corps encore plein de sentiment, le faire rostir par le menu' (I, xxxi, p. 37), etc. Outre qu'il est devenu anachronique et qu'il a toujours été haïssable, l'exercice de la torture est, d'autre part, 'un moyen plein d'incertitude et de danger' car il semble que 'ce soit plustost un essayt de patience que de verité'. Et il suffit à Montaigne de poser cette question pour faire apparaître le peu de sens qu'il y a à user de violence afin de mieux juger: 'pourquoy la douleur me fera elle plustost confesser ce qui en est, qu'elle ne me forcera de dire ce qui n'est pas? Et, au rebours, si celuy qui n'a pas fait ce dequoy on l'accuse, est assez patient pour supporter ces tourments, pourquoy ne le sera celuy qui l'a fait' (II, v, *pléiade*, pp. 348–9)? Et le philosophe fait entendre ainsi la voix du critique qui réclame des réformes chaque fois que les hommes cessent d'être sensés et naturels.

(III) La sagesse ou un conservatisme réformateur

Mais quelle est alors la véritable attitude de Montaigne à l'égard des institutions que tantôt il souhaite transformer et qu'il voudrait tantôt maintenir sans que rien ne soit modifié? Cette double prise de position est-elle la conséquence de contradictions irréductibles ou l'auteur des *Essais* parvient-il à combiner son attachement aux traditions et son désir de réformer, de façon à agir avec plus d'efficacité et de sagesse que ne le font ces critiques redoutables ou ces conservateurs obstinés qu'il désapprouve également?

(A) Un conservatisme fondamental

Quelles que puissent être ses déclarations à propos de tel usage injustifiable qu'il aimerait voir abandonner, Montaigne fait preuve, généralement, d'un conservatisme fondamental. Et il en est conscient, lui qui avoue : 'la coustume a desjà, sans y penser, imprimé si bien en moy son caractere en certaines choses, que j'appelle excez de m'en despartir' (III, xiii, p. 238). Ainsi, c'est moins par un respect absolu des lois en vigueur qu'il sait être imparfaites et fautives que par une horreur naturelle des outrances dont s'accompagnent souvent les changements que Montaigne est conservateur. Et de cette sagesse qui cherche à éviter les bouleversements, La Boétie lui avait donné un exemple vivant: 'il avoit', écrit l'ami qui se souvient avec admiration, une 'maxime souverainement empreinte en son ame, d'obeyr et de se soubmettre tres-religieusement aux loix sous lesquelles il estoit nay. Il ne fut jamais un meilleur citoyen, ny plus affectionné au repos de son païs, ny plus ennemy des remuements et nouvelletez de son temps. Il eut bien plustost employé sa suffisance à les esteindre, que à leur fournir dequoy les émouvoir d'avantage. Il avoit son esprit moulé au patron d'autres siecles que ceux-cy' (I, xxviii, pp. 27–8). Le conservatisme devient donc un art de vivre qui permet de retrouver la sagesse des grands maîtres de l'antiquité et de mener une existence paisible et ordonnée, ce qui est indispensable à l'épanouissement de l'individu car, au 'gré' de Montaigne, 'les plus belles vies sont [. . .] celles qui se rangent au modelle commun et humain, avec ordre, mais sans miracle et sans extravagance' (III, xiii, p. 279).

(B) Une réforme au niveau des cas particuliers

Or, au nom même de cet individu que le conservatisme protège, certaines adaptations des règles générales aux particularités propres à chaque être s'imposent. Il convient donc de réformer pour mieux ajuster et faire en sorte que soit respectée la vérité de cet adage: 'à chaque pied son soulier' (III, xiii, p. 216). Ce qui revient à être conservateur avec tolérance et admettre que les 'opinions et usances du païs où nous sommes' ne représentent pas 'la parfaicte police' ni le 'perfect et accomply usage de toutes choses' (I, xxxi, p. 32), mais simplement quelques applications particulières de lois naturelles fondamentales. Dès lors, la tradition est conservée, l'ordre est maintenu et respecté le droit de chaque individu de vivre en adaptant les règlements en vigueur aux exigences de sa nature.

(C) La sagesse de Montaigne

Et c'est ainsi qu'en conciliant les contradictions apparentes qui existent entre son goût pour le conservatisme et sa volonté de réformer, Montaigne s'applique à la sagesse.

L'analyse des idées qu'il émet sur les coutumes relatives aux questions d'héritage est révélatrice à cet égard. Tout d'abord, l'auteur des *Essais* accepte, sans y trouver à redire, la tradition selon laquelle les enfants n'entrent en possession des biens de famille qu'à la mort de leurs parents. Et loin de la critiquer, il approuve 'cette responce que les peres ont ordinairement en la bouche : Je ne me veux pas despouiller devant que de m'aller coucher' (II, viii, p. 58). Toutefois, Montaigne constate que cet usage communément observé ne doit pas être suivi sans discernement et mérite parfois d'être réformé de façon à s'adapter à la nature de cas particuliers tels que celui d''un pere aterré d'années et de maux, privé, par sa foiblesse et faute de santé, de la commune societé des hommes' (*Id.*). Ce vieillard-là doit-il garder en sa possession tout son avoir jusqu'à sa mort, pour ne pas manquer aux pratiques qui ont cours? Non pas, répond Montaigne, 'il se faict tort et aux siens de couver inutilement un grand tas de richesses. Il est assez en estat, s'il est SAGE, pour avoir desir de se despouiller pour se coucher [. . .]; le reste des pompes, dequoy il n'a plus que faire, il doibt en estrener volontiers ceux à qui, par ordonnance NATURELLE, cela doit appartenir. C'est RAISON qu'il leur en laisse l'usage, puis que NATURE l'en prive' (*Ibid.*, pp. 58–9). Mais si Montaigne n'hésite pas à modifier la loi dans ce cas précis, il ne propose pas pour autant une réforme générale de l'usage qui, dans l'ensemble, est conforme à la nature commune des choses. Aussi déclare-t-il que, sauf si des circonstances inhabituelles l'exigent, 'il y a de la malice et de l'envie' (*Ibid.*, p. 59) à vouloir qu'un père se dépouille, de son vivant, au profit de ses enfants. Montaigne est donc réformateur dans la mesure où il adapte une loi générale à un cas particulier, mais cependant qu'il réforme il conserve prudemment puisqu'il ne fait pas de cette adaptation à une situation unique une règle nouvelle et valable pour tous.

Conclusion

Les *Essais* n'offrent donc qu'un paradoxe illusoire: les réflexions d'un philosophe qui critique les institutions avec la même aisance qu'il en prend la défense ne sont pas contradictoires en dépit des apparences, mais complémentaires. En effet, le scepticisme, d'une part, qui amène à douter de la valeur des usages en vigueur ainsi que de ceux qui, éventuellement, pourraient les remplacer, et le bon sens, de l'autre, qui veut que l'on se conforme à la nature des choses, au lieu de s'y opposer en appliquant aveuglément des règles avec une rigueur absolue—comme si les hommes étaient au service des lois et non point les lois à celui des hommes—

sont tous deux à l'origine des propos tenus par le conservateur et le réformateur que Montaigne devient tour à tour. Et c'est, précisément, parce qu'il est parvenu à accorder ces deux attitudes qui préservent la liberté de l'individu auquel il est offert un monde imparfait, certes, mais à l'abri de ces 'nouvelletés' destructrices, et dans lequel quiconque se connaît soi-même a la possibilité de devenir ce qu'il est, que l'auteur des *Essais* fait preuve, non pas d'indécision, mais de sagesse.

8

'L'exemple est un miroüer vague, universel et à tout sens.' (III, xiii, p. 245)

Introduction

'Composer nos meurs est nostre office' (III, xiii, p. 270) déclare Montaigne qui, pour remplir cette fonction, cherche à se connaître soi-même et observe autrui avec attention. Tout porterait donc à penser que celui qui tient, au fil des jours et au gré de ses humeurs, 'un registre des essais de [sa] vie' (*Ibid.*, p. 232) attache quelque importance à la valeur exemplaire des expériences passées. Or il n'en est rien. Montaigne prétend, en effet, que 'l'exemple est un miroüer vague, universel et à tout sens', c'est-à-dire sans signification suffisamment précise pour qu'il puisse être adapté à des circonstances nouvelles et imitable par conséquent. Toutefois, l'auteur de ces réflexions sur 'l'Experience' (*Ibid.*, p. 214) qui a disputé également 'De l'institution des enfants' (I, xxvi, p. 282) n'a-t-il point été amené à trouver certaines vertus à ce moyen de formation dont il sait, par ailleurs, les faiblesses ? En bref, quel usage Montaigne fait-il de l'exemple dans la conduite de sa vie que les *Essais* relatent ?

(I) L'exemple est un miroir vague

Les accusations que porte le philosophe contre tout ce qui peut être pris comme modèle proviennent du fait que le sens même des exemples n'est guère intelligible, en raison des différences existant entre des situations qui ne sont jamais identiques et les individus qui sont trop particuliers pour pouvoir adopter le comportement d'un autre.

(A) La signification de l'exemple est toujours faussée

Et le fait est que l'auteur des *Essais* a souvent eu l'occasion de noter la disparité fondamentale des actions à imiter et de celles accomplies : 'il n'adviendra pas', remarque-t-il à ce propos, 'que, des evenemens à venir, il s'en trouve aucun qui, en tout ce grand nombre de milliers d'evenemens choisis et enregistrez, en rencontre un auquel il se puisse joindre et apparier si exactement, qu'il n'y reste quelque circonstance et diversité qui requiere diverse consideration de jugement' (III, xiii, p. 216). Il résulte donc de cet état de choses qu'il est particulièrement difficile qu'un acte soit véritablement exemplaire, étant donné que 'la consequence que nous voulons tirer de la ressemblance des evenemens est mal seure' (*Ibid.*, p. 215). Et si, néanmoins, désireux de trouver un modèle on insiste sur le fait que tout se tient 'par quelque similitude', on modifie et dénature du même coup le sens de la leçon que l'on s'efforce d'entendre. Car 'tout exemple cloche', il faut en convenir, 'et la relation qui se tire de l'experience est tousjours defaillante et imparfaicte'. Si bien que la 'comparaison' établie repose en fait sur 'quelque interpretation destournée, contrainte et biaise' (*Ibid.*, p. 221). Ainsi, la signification attribuée aux actions exemplaires est-elle nécessairement faussée puisqu'elle provient de la supposition d'un rapport d'identité entre ce qui n'est pas identique.

(B) Nul ne peut donner d'exemples ni en suivre

Et, de même que la dissemblance des faits rend 'vague' tout exemple, de même la diversité que l'on observe parmi les hommes empêche que la conduite d'un individu puisse devenir celle d'un autre être qui doit satisfaire aux particularités propres à sa personne. Et comme l'affirmait déjà Plutarque, l'auteur des *Essais* maintient 'qu'il se trouve plus de difference de tel homme à tel homme que de tel animal à tel homme' (II, xii, *pléiade*, p. 444). Or cette singularité de chacun est cause de ce que 'jamais deux hommes ne jugerent pareillement de mesme chose' et qu'il est 'impossible de voir deux opinions semblables exactement' (III, xiii, p. 218). L'attitude adoptée par l'un ne saurait donc convenir vraiment à l'autre et lui servir de modèle, puisqu'il faut 'à chaque pied son soulier' (*Ibid.*, p. 216). Et c'est pourquoi, 'qui se cognoist, ne prend plus l'estranger faict pour le sien' (I, iii, *pléiade*, p. 18) et constate alors que 'la vie de Cæsar n'a poinct plus d'exemple que la nostre pour nous' (III, xiii, p. 226). Ce n'est pas, en effet, l'enseignement reçu des autres qui est utile, mais bien les leçons que l'on se donne soi-même, car 'celuy-là y a mieux proffité, qui les fait, que qui les sçait' (I, xxvi, p. 309). Et si l'on considère que 'la plus grande besoigne' d'un homme est d'apprendre à mourir, l'exemple d'autrui apparaît alors plus que jamais inimitable, étant donné, remarque Montaigne, que 'l'exercitation ne nous [...] peut ayder' en la circonstance; et il ajoute: 'la mort, nous ne la pouvons essayer qu'une fois; nous y sommes tous apprentifs quand nous y venons' (II, vi, *pléiade*, p. 350). Nul ne peut donc partager la conduite d'un autre qui est trop étrangère.

(C) Trop vague, l'exemple est sans vertu exemplaire

Ainsi, le manque de proportion qu'il y a entre les situations, d'une part, et les êtres agissants, de l'autre, rend insensée toute recherche d''exemples estrangers et scholastiques'.

D'ailleurs, 'pour estre plus vieille', la vérité 'n'est pas plus sage' (III, xiii, p. 235). Aussi ne prête-t-on guère attention à ces 'raisons estrangeres' qui sont toujours inadaptées au cas présent: 'je les escoute favorablement et decemment toutes, remarque Montaigne, mais, qu'il m'en souvienne, je n'en ay creu jusqu'à cette heure que les miennes' (III, ii, p. 159). En outre, force est de convenir qu' 'à peine servira beaucoup à nostre institution' le fruit que 'nous tirons des exemples estrangers', quand 'nous faisons si mal nostre proffict' de ceux que 'nous avons de nous mesme' et qui devraient suffire 'à nous instruire de ce qu'il nous faut' (III, xiii, p. 224). En fait, la preuve que rien n'est imitable avec efficacité, Montaigne la trouve en s'observant soi-même. Certes, il affirme: 'de l'experience que j'ay de moy, je trouve assez dequoy me faire sage', mais c'est pour faire immédiatement après cette réserve: 'si j'estoy bon escholier' (*Ibid.*, p. 226) et cet aveu révélateur: 'si j'avois à revivre, je revivrois comme j'ay vescu' (III, ii, p. 161). C'est donc dire que l'exemple n'est qu'un guide illusoire que l'on se donne, et qu'il appartient à chacun de décider à chaque instant de sa conduite qui, en raison de la nouveauté des circonstances, ne peut jamais se limiter à une simple répétition, mais doit être plutôt une invention continue.

(II) De l'utilité de l'exemple

Toutefois, en dépit même du fait que les actions que l'on prend pour modèles sont de signification 'vague' et comme dépourvues de vertu exemplaire, convient-il de renoncer pour autant à tout comportement imitateur? L'exemple, pour imprécis et difficile à suivre qu'il soit, n'a-t-il pas un rôle essentiel à jouer dans la formation du jugement et dans la décision de la conduite à tenir?

(A) Valeur pédagogique de l'exemple

Pour Montaigne qui déclare: 'la medecine se forme par exemples et experience; aussi fait mon opinion' (II, xxxvii, *pléiade*, p. 742), il n'est pas question, en effet, de dénier tout caractère exemplaire à certaines actions d'autrui ou à quelques souvenirs personnels. L'auteur des *Essais* est beaucoup trop attentif à soi-même et au comportement des autres pour ne pas avoir conscience de la valeur pédagogique de l'exemple. Et c'est pourquoi il cherche si souvent un soutien à ses pensées auprès des anciens qu'il tient pour des maîtres dont il faut suivre les leçons de sagesse. Ainsi il s'attache à se connaître soi-même, à la manière de Socrate, devient l'héritier de la philosophie grecque qu'il fait sienne, et s'autorise fréquemment de l'exemple de quelques hommes illustres pour décider de son comportement. Veut-il se convaincre que passer plusieurs jours de 'sa vie en oisiveté' n'est point néfaste, mais constitue au contraire l'occupation 'la plus illustre' et 'fondamentale', qu'il prend alors à témoin 'Cæsar' ou 'Alexandre' dont il dit: 'quand je [le] vois [. . .], au plus espais de sa grande besongne, jouyr si plainement des plaisirs naturels et par consequent necessaires et justes, je ne dicts pas que ce soit relascher son ame, je dicts que c'est la roidir, sousmetant par vigueur de courage à l'usage de la vie ordinaire ces violentes occupations et laborieuses pensées' (III, xiii, p. 269). Il convient donc de choisir des modèles afin de développer plus amplement son être et de le former mieux.

(B) L'exemple est instructif

Outre que l'exemple aide ainsi à devenir soi-même, il est instructif dans la mesure où il éclaire l'état présent ou futur des choses à la lumière des expériences passées. Et c'est la raison pour laquelle Montaigne considère généralement les vies des hommes comme autant d'essais qui le concernent directement: 'quand j'oy reciter l'estat de quelqu'un, déclare-t-il, je tourne incontinent les yeux à moy, voir comment j'en suis. Tout ce qui le touche me regarde'. Et il ajoute, insistant sur l'utilité d'une telle pratique: 'tous les jours et à toutes heures, nous disons d'un autre ce que nous dirions plus proprement de nous, si nous sçavions replier aussi bien qu'estendre nostre consideration' (II, viii, p. 64). De la sorte, le philosophe fait provision de sagesse. En recherchant les multiples exemples significatifs qu'offre le monde à qui sait observer et se comparer à autrui, et en les consignant dans les *Essais*, Montaigne compose en fait un guide de vie illustré auquel il se réfère chaque fois qu'il se trouve dans une situation semblable à telle autre qu'il connaît déjà et qui lui sert de modèle: 'à cette heure, explique-t-il en effet, estant quasi passé par toute sorte d'exemples, si quelque estonnement me menace, feuilletant ces petits brevets descousus comme des feuilles Sybillines, je ne faux plus de trouver où me consoler de quelque prognostique favorable en mon experience passée' (III, xiii, pp. 249–50). Mais pour entendre avec profit la leçon des événements dont on veut s'inspirer, encore faut-il parvenir à interpréter correctement les faits.

(C) De l'interprétation des exemples

Aussi l'auteur des *Essais* prétend-il que 'ce n'est pas assez de compter les experiences' et qu' 'il les faut poiser et assortir, et les faut avoir digerées et alambiquées, pour en tirer les raisons et conclusions qu'elles portent' (III, viii, p. 198). Ce n'est qu'au prix de cet effort permanent de compréhension que l'on pourra vraiment percevoir la signification exemplaire des actes quotidiens, car, explique Montaigne, 'des plus ordinaires choses et plus communes et cogneuës, si nous sçavions trouver leur jour, se peuvent former les plus grands miracles de nature et les plus merveilleux exemples, notamment sur le subject des actions humaines' (III, xiii, p. 236). Toutefois, il convient d'être prudent en interprétant les événements, afin d'éviter tout contresens et de prendre pour modèle ce qui, en fait, n'en est point. Et c'est pourquoi, 'quand on juge d'une action particuliere, il faut considerer plusieurs circonstances et l'homme tout entier qui l'a produicte, avant la baptizer' (II, xi, p. 97). Selon Montaigne, la recherche des exemples faite avec discernement est donc indispensable à la bonne conduite d'une vie.

(III) Le mauvais exemple est le seul efficace

Mais si, d'une part, l'imitation d'actes que l'on choisit comme modèles est conforme aux aspirations de l'homme et si, d'autre part, l'identité des êtres ou des événements est plus illusoire que réelle, la question se pose alors de savoir s'il existe des exemples efficaces. La réponse que donne Montaigne est affirmative et paradoxale.

(A) Les vertus du mauvais exemple

Pour le philosophe, en effet, seul le mauvais exemple est utile, contrairement à celui que l'on dit être bon, car il n'implique pas d'imitation qui, on le sait, ne peut guère reposer que sur une ressemblance factice, étant donné qu' 'il n'est aucune qualité si universelle en cette image des choses que la diversité et varieté' (III, xiii, p. 215). En invitant à ne pas être suivi, cet exemple-là s'accommode et use de la dissemblance des comportements que Montaigne a maintes fois observée, laquelle fait obstacle à l'adoption de modèles. Et c'est pourquoi l'auteur des *Essais* trouve une vertu exemplaire à ce qu'il ne faut point faire et note, en psychologue averti: 'ce qui poind, touche et esveille mieux que ce qui plaist. Ce temps n'est propre à nous amender qu'à reculons, par disconvenance plus que par accord, par difference que par similitude. Estant peu aprins par les bons exemples, je me sers des mauvais, desquels la leçon est ordinaire' (III, viii, p. 187), c'est-à-dire précise et aisément intelligible.

(B) La leçon des contraires

Et il est vrai que cette leçon des contraires dont le principe est que 'la difference faict autre' beaucoup plus que 'la ressemblance ne faict [. . .] un' (III, xiii, p. 215), a les effets les plus marquants. L'expérience l'apprend chaque jour à Montaigne qui multiplie alors les constatations telles que: 'l'horreur de la cruauté me rejecte plus avant en la clemence qu'aucun patron de clemence ne me sçauroit attirer' ou encore: 'je me suis efforcé de me rendre autant aggreable comme j'en voyoy de fascheux, aussi ferme que j'en voyoy de mols, aussi doux que j'en voyoy d'aspres' (III, viii, p. 187). Cette efficacité des mauvais exemples ne doit point surprendre, elle est due simplement au fait qu''en nature le contraire se vivifie par son contraire' (I, xx, *pléiade*, p. 80).

(c) Universalité du mauvais exemple

Et ces choses à ne pas faire ont en outre l'avantage d'avoir une valeur exemplaire universelle dont la signification est perceptible par tous et valable pour tous. C'est le cas, notamment, de cet 'usage de nostre justice' qui consiste à 'en condamner aucuns pour l'advertissement des autres'. Et de fait, Montaigne explique qu''on ne corrige pas celuy qu'on pend', mais qu''on corrige les autres par luy'. Ainsi, la pendaison constitue un de ces exemples 'qu'on fuye' (III, viii, p. 186) d'un commun accord, car son interprétation ne fait difficulté pour personne. Et la mauvaise conduite est encore universelle dans la mesure où elle se présente comme une leçon non pas unique, mais partout répétée et à chaque instant. A ce propos, l'auteur des *Essais* déclare effectivement: 'tous les jours la sotte contenance d'un autre m'advertit et m'advise' (*Ibid.*, p. 187). Les exemples à ne pas imiter sont donc les seuls à être universellement entendus.

Conclusion

Une fois encore la position qu'adopte le philosophe est paradoxale, mais, comme à l'accoutumée, elle s'explique par une connaissance et un respect total de l'ordre des choses à l'encontre duquel il serait vain d'aller. Puisque 'Nature s'est obligée à ne rien faire autre, qui ne fust dissemblable' (III, xiii, p. 215), il faut admettre, conséquemment, que ce qui est acceptable pour l'un ne l'est pas nécessairement pour l'autre et qu'il n'y a pas de comportements modèles qui soient interchangeables et qui puissent satisfaire tour à tour les particularités de chaque individu et de chaque situation. Il n'est donc guère sensé de se vouloir donner des modèles afin de mieux guider son action quotidienne, car nul ne peut imiter avec exactitude, et rien n'est vraiment imitable. Or une telle constatation n'inquiète, ni ne rend pessimiste l'auteur des *Essais* qui sait que 'Nature [nous] ayant descouvert d'un costé, [nous] a couvert de l'autre' (III, vi, p. 166). Et c'est précisément en acceptant cette dissemblance profonde des êtres que Montaigne découvre l'aptitude de chacun à comprendre et à fuir le mauvais exemple qui est le seul efficace et sans lequel il serait difficile d'atteindre à une réelle sagesse, tant il est vrai que 'les sages ont plus à apprendre des fols que les fols des sages' (III, viii, p. 187).

Bernard Jean MONTAIGNE

9

'Il ne faut pas tousjours dire tout, car ce seroit sottise; mais ce qu'on dit, il faut qu'il soit tel qu'on le pense, autrement c'est meschanceté.' (II, xvii, p. 128)

Introduction

C'est en moraliste, et non en métaphysicien, que Montaigne pose ses problèmes. Cela est particulièrement clair quand il parle du vrai et du faux. Il n'essaie pas de donner une définition de la vérité. Il n'en détermine pas la valeur dans l'absolu, mais s'intéresse à elle selon l'usage que nous pouvons en faire. C'est donc à un relativisme du vrai et du faux qu'il aboutit: 'il ne faut pas tousjours dire tout, car ce seroit sottise; mais ce qu'on dit, il faut qu'il soit tel qu'on le pense, autrement c'est meschanceté' (II, xvii, p. 128). Pour l'éthique traditionnelle, le mensonge est constitué de deux éléments, une contre-vérité et l'intention de tromper. Sans cette intention, la contre-vérité devient une simple erreur, et, parce qu'elle n'est pas consciente d'elle-même, cesse d'être condamnable. Montaigne se rallie à cette conception: 'je sçay bien que les grammairiens font difference entre dire mensonge et mentir; et disent que dire mensonge, c'est dire chose fauce, mais qu'on a pris pour vraye, et que la definition du mot de mentir en Latin, d'où nostre François est party, porte autant comme aller contre sa conscience, et que par consequent cela ne touche que ceux qui disent contre ce qu'ils sçavent, desquels je parle' (I, ix, *pléiade*, p. 36). Si c'est l'intention de tromper qui constitue le mentir, on peut être coupable simplement en taisant ce qu'on sait. Montaigne, cependant, se refuse à tirer cette conclusion. Il ne craint pas de se contredire et de tolérer, voire de recommander le mensonge par omission. C'est assez dire que la façon dont il va traiter ce problème n'a rien de techniquement philosophique, qu'il relie le mensonge, non aux exigences théoriques de la métaphysique, mais aux exigences pratiques de la vie.

(I) Dire ce qu'on ne pense

Le mensonge est trompeur, remarque Montaigne, parce qu'il a plusieurs visages: 'si, comme la verité, le mensonge pas est méchanceté

n'avoit qu'un visage, nous serions en meilleurs termes. Car nous prendrions pour certain l'opposé de ce que diroit le menteur. Mais le revers de la verité a cent mille figures et un champ indefiny' (*Ibid.*, p. 38). Or, le premier trompé par cette duperie inévitable du mensonge, c'est le menteur lui-même, car il présume trop de ses forces: 'qui est desloyal envers la verité l'est aussi envers le mensonge' (II, xvii, p. 129). Ainsi, par manque de mémoire ou de discernement, fait-il lui-même mentir ses propres mensonges et ruine tout son art, qui n'a de brillant que l'apparence: 'de mesme chose ils disent gris tantost, tantost jaune; à tel homme d'une sorte, à tel d'une autre; et si par fortune ces hommes raportent en butin leurs instructions si contraires, que devient cette belle art' (I, ix, *pléiade*, p. 37)?

(A) Mentir est un défaut de l'intelligence

(B) Mentir est un défaut moral

Montaigne n'a pas de mots assez forts pour condamner le mensonge. 'Le premier traict de la corruption des mœurs, c'est le bannissement de la verité' (II, xviii, *pléiade*, p. 649), explique-t-il, et il s'exclame: 'le mentir est un maudit vice' (I, ix, *pléiade*, p. 37). Pourquoi une telle haine du mensonge? C'est que mentir est toujours un signe de dégénérescence morale: 'quant à cette nouvelle vertu de faintise et de dissimulation qui est à cet heure si fort en credit, je la hay capitallement; et, de tous les vices, je n'en trouve aucun qui tesmoigne tant de lâcheté et bassesse de cœur. C'est un' humeur couarde et servile de s'aller desguiser et cacher sous un masque, et de n'oser se faire veoir tel qu'on est' (II, xvii, p. 127). Chez le menteur, l'ordre des valeurs se trouve renversé: 'c'est un vilein vice que le mentir, et qu'un ancien peint bien honteusement quand il dict que c'est donner tesmoignage de mespriser Dieu, et quand et quand de craindre les hommes. Il n'est pas possible d'en representer plus richement l'horreur, la vilité et le desreglement. Car que peut on imaginer plus vilain que d'estre couart à l'endroit des hommes et brave à l'endroit de Dieu' (II, xviii, *pléiade*, pp. 649–50)? Montaigne a donc en horreur tout mensonge, quel qu'il soit, même utile: 'certes je ne m'asseure pas que je peusse venir à bout de moy, à guarentir un danger evident et extresme par une effrontée et solemne mensonge' (I, ix, *pléiade*, p. 38), proclame-t-il.

(C) Mentir est un défaut social

Mentir, c'est aussi commettre un acte antisocial. Car le mensonge coupe son auteur du reste de la société: 'ne sçay quelle part telles gens peuvent avoir au commerce des hommes, ne produisans rien qui soit reçeu pour contant' (II, xvii, pp. 128–9). C'est un véritable poison qui s'insinue dans le corps social et le paralyse: 'nostre intelligence se conduisant par la seule voye de la parolle, celuy qui la fauce, trahit la societé publique. C'est le seul util par le moien duquel se communiquent nos volontez et nos pensées, c'est le truchement de nostre ame: s'il nous faut, nous ne nous tenons plus, nous ne nous entreconnoissons plus. S'il nous trompe, il rompt tout nostre commerce et dissoult toutes les liaisons de nostre police' (II, xviii, *pléiade*, p. 650). Que de raisons, par conséquent, de s'écrier: 'de combien est le langage faux moins sociable que le silence' (I, ix, *pléiade*, p. 38)!

(II) Dire toute la vérité est sottise

Nous ne devons sous aucun prétexte faire de déclaration fausse. 'Rien que la vérité' est ce que Montaigne exige de nous. On pourrait s'attendre à le voir demander aussi 'toute la vérité'. A notre surprise, nous constatons qu'il n'en est rien, et que, pour lui, une déclaration vraie peut être aussi condamnable qu'une fausse.

(A) Dire toute la vérité est un défaut de l'intelligence

Dire toute la vérité est un défaut de l'intelligence, car c'est manquer de jugement. Il faut savoir agir avec discernement. Une espèce de sens intuitif nous suggère quand il convient de dire la vérité et quand il vaut mieux la taire. Il est piquant de noter que ceux qui ont eu assez de sagesse pour découvrir ou reconnaître la vérité peuvent avoir assez de 'sottise' pour la dire à mauvais escient, car 'la science et la verité peuvent loger chez nous sans jugement' (II, x, p. 76). Certains n'ont 'pas l'esprit assez souple' (II, xvii, p. 130) et si ce trait peut indiquer une force morale, il reflète aussi une faiblesse intellectuelle que Montaigne déplore.

(B) Dire toute la vérité est un défaut moral

Tout dire, c'est faire preuve de faiblesse et d'orgueil. Certes, Montaigne s'est 'ordonné d'oser dire' (III, v, *pléiade*, p. 822) tout ce qu'il fait. Et il déclare: 'chacun est discret en la confession, on le devoit estre en l'action; la hardiesse de faillir est aucunement compensée et bridée par la hardiesse de le confesser. Qui s'obligerait à tout dire, s'obligerait à ne rien faire de ce qu'on est contraint de taire' (*Id.*). Mais dans ce cas, le seul où Montaigne recommande de dire toute la vérité, il ne s'agit que de soi et de l'amélioration de soi. Dès que nous pensons aux autres, au contraire, nous pensons moins au gain moral que la franchise nous permet d'effectuer personnellement, qu'à 'l'indiscretion et incivilité' (II, xvii, p. 130) que nous faisons subir autour de nous: 'j'advoue qu'il se peut mesler quelque pointe de fierté et d'opiniastreté à se tenir ainsin entier et descouvert sans consideration d'autruy; et me semble que je deviens un peu plus libre où il le faudroit moins estre, et que je m'eschaufe par l'opposition du respect' (*Ibid.*, pp. 129–30). Loin de toujours prôner sa naïveté, Montaigne remarque que c'est parfois non pas une 'hardiesse', mais un manque d'assurance qui lui en fait trop dire: il fait 'le brave par foiblesse' (*Ibid.*, p. 130). Souvent aussi, la vérité ne nous appartient pas, nous n'avons donc pas à la livrer. Notre auteur s'astreint scrupuleusement à ce devoir de fidélité: 'ce qui a esté fié à mon silence, je le cele religieusement' (III, i, *pléiade*, p. 771).

(C) Dire toute la vérité est un défaut social

'Celuy qui dict tout, il nous saoule et nous desgouste' (III, v, *pléiade*, p. 858), dit plaisamment Montaigne. Mais il y a plus. La tromperie et le mensonge peuvent avoir une utilité sociale. Ce serait méconnaître cette utilité que de vouloir à tout prix dire toute la vérité. Platon 'dict tout destroussément en sa *Republique* que, pour le profit des hommes, il est souvent besoin de les piper' (II, xii, *pléiade*, p. 492). Montaigne se contredit-il lorsqu'il affirme: 'je ne veux pas priver la tromperie de son rang, ce seroit mal entendre le monde; je sçay qu'elle a servy souvant profitablement, et qu'elle maintient et nourrit la plus part des vacations des hommes. Il y a des vices legitimes, comme plusieurs actions, ou bonnes, ou excusables, illegitimes' (III, i, *pléiade*, p. 773)? Il ne semble pas. En effet, quand il condamnait la fausseté, il visait un mensonge utile au menteur. Il s'agit maintenant de la tromperie utile au trompé, ou tout au moins à la société dans son ensemble. Il n'en va donc plus de même et l'intérêt bien compris de l'humanité exige un minimum de fausseté, en particulier celle qui consiste à ne pas dire toute la vérité.

(III) Une vérité choisie

Comme nous venons de le voir, le mensonge peut s'exprimer par le silence, et, pour Montaigne, ce silence est permis. Son idéal est celui d'une vérité choisie, sincère, mais pas rigide au point de pouvoir causer du tort.

(A) La vérité choisie est une vertu de l'intelligence

L'usage de la vérité a ses limites que l'homme de bon sens, conscient de ce qu'il n'y a pas de place en ce monde pour l'absolu et la perfection, s'efforcera de découvrir: 'la verité mesme n'a pas ce privilege d'estre employée à toute heure et en toute sorte: son usage, tout noble qu'il est, a ses circonscriptions et limites' (III, xiii, p. 231). Il faut savoir se taire, ce qui n'est pas mentir: 'je souffre peine à me feindre, si que j'evite de prendre les secrets d'autruy en garde, n'ayant pas bien le cœur de desadvouer ma science. Je puis la taire; mais la nyer, je ne puis sans effort et desplaisir' (III, v, *pléiade*, p. 823). Le mensonge par omission est justifié quand il sert à faire le bien. Le caractère moral de l'intention peut contrebalancer ce qu'il y a d'immoral dans l'essence du mensonge. Mais jamais Montaigne ne justifie le silence complice de l'injustice ou de la malhonnêteté. Il s'en tient à l'hypocrisie du bon sens.

(B) La vérité choisie est une vertu morale

La vérité reste pour Montaigne le fondement de toute vertu: 'c'est la premiere et fondamentale partie de la vertu. Il la faut aymer pour elle mesme. Celuy qui dict vray, par ce qu'il y est d'ailleurs obligé et par ce qu'il sert, et qui ne craint point à dire mansonge, quand il n'importe à personne, n'est pas veritable suffisamment. Mon ame, de sa complexion, refuit la menterie et hait mesmes à la penser' (II, xvii, p. 128). Mais l'application que Montaigne fait de cette vertu morale montre que dire la vérité ne consiste pas à tout dire systématiquement: 'je dy vray, non pas tout mon saoul, mais autant que je l'ose dire' (III, ii, p. 148).

(C) La vérité choisie est une vertu sociale

La vérité choisie est une vertu sociale, car elle consiste à tenir compte des autres ce que ne font ni celui qui dit toujours toute la vérité sans discernement, ni celui qui trompe autrui en débitant des mensonges. Le degré de franchise dépendra donc des circonstances et plus encore de l'interlocuteur. Avec un ami véritable, point ne sera besoin de mentir par omission. 'Je m'ouvre aux miens—tant que je puis;—et leur signifie tres-volontiers l'estat de ma volonté et de mon jugement envers eux' (II, viii, p. 65), nous apprend Montaigne. Cette même liberté serait déplacée avec les étrangers, les grands, et pourrait même causer de la peine à certains.

Conclusion

Nous voyons que Montaigne a traité le problème du mensonge de la façon la plus originale. Sa pensée ne se laisse pas enfermer dans les carcans de la philosophie traditionnelle. A l'égard du rôle de l'intention, en particulier, il n'a pas une attitude fixe; il fluctue et échappe à toute tentative de généralisation. Sa réponse ne manque cependant pas de netteté. Le bon sens, rappelle-t-il, nous dicte qu'il est prudent de cacher quelquefois la vérité. La morale nous recommande de le faire si cela peut être utile et avantageux à autrui. Enfin, il concède que cette justification du mensonge par omission ne porte que sur des cas d'espèce: 'on peut couvrir les actions secrettes; mais de taire ce que tout le monde sçait, et les choses qui ont tiré des effects publiques et de telle consequence, c'est un defaut inexcusable' (II, x, p. 89). Le compromis que Montaigne nous suggère ici de faire est en fin de compte bien petit. Pour le reste, il demeure l'ennemi juré de la fausseté, et sa sagesse, pour être pragmatique, n'en demeure pas moins intransigeante.

Bernard Jean MONTAIGNE

10

'Nostre raison et nostre ame, recevant les fantasies et opinions qui luy naissent en dormant, et authorisant les actions de nos songes de pareille approbation qu'elle faict celles du jour, pourquoy ne mettons nous en doubte si nostre penser, nostre agir, n'est pas un autre songer et nostre veiller quelque espece de dormir?' (II, xii, *pléiade*, p. 581)

Introduction

La philosophie est éternelle, car les questions qu'elle pose ne sont jamais résolues et demeurent les mêmes de siècle en siècle. Certains problèmes, particulièrement immuables, ne se renouvellent pas même par la façon dont on les pose. C'est ainsi que, de l'Antiquité aux temps modernes, le scepticisme se trouve toujours assorti de deux séries d'arguments. Les premiers portent sur la fausseté de nos sens, cause d'erreur pour la raison, les seconds, sur la faiblesse de la raison elle-même. Montaigne est donc fidèle à une vénérable tradition lorsqu'il s'interroge sur l'existence du réel. Pouvons-nous prouver, demande-t-il, que notre vie possède plus de réalité que nos rêves? La raison est incapable de distinguer entre le vrai et l'apparence, elle autorise 'les actions de nos songes de pareille approbation qu'elle faict celles du jour', et par conséquent, elle nous trompe. Mais une partie du mal vient de ce qu'elle est elle-même abusée par les données qu'elle reçoit des sens, données confuses qui ne distinguent pas les 'fantasies' des 'opinions'. Puisqu'il est si facile et si commun de prendre le rêve pour la réalité, c'est peut-être que ces deux états n'en forment en fait qu'un seul, et on pourrait aussi bien prendre la réalité pour un rêve, c'est-à-dire douter de l'existence du monde extérieur. Montaigne ne va pas jusque là et se contente de mettre en évidence notre incertitude. Mais cette incertitude n'est peut-être pas aussi grande qu'il le croit. Essayons de déterminer, en passant au crible les arguments de Montaigne, s'il y a un moyen de distinguer entre l'état de sommeil et l'état de veille.

(I) Penser c'est songer

Montaigne fait une foule d'observations psychologiques, dont certaines sont d'une très grande profondeur.

(A) La vie est un songe

L'intensité de nos sensations ne peut servir de critère pour distinguer entre notre vie éveillée et notre sommeil, car, dans le rêve, l'esprit est aussi actif que dans l'état de veille : 'ceux qui ont apparié nostre vie à un songe, ont eu de la raison, à l'avanture plus qu'ils ne pensoyent. Quand nous songeons, nostre ame vit, agit, exerce toutes ses facultez, ne plus ne moins que quand elle veille ; mais si plus mollement et obscurement, non de tant certes que la differance y soit comme de la nuit à une clarté vifve ; ouy, comme de la nuit à l'ombre : là elle dort, icy elle sommeille, plus et moins' (II, xii, *pléiade*, pp. 580–1).

(B) Opacité de l'état deveille

Réciproquement, l'état de veille est un demi-jour de sensations confuses. La drogue, la fatigue peuvent faire peser sur notre cerveau un épais brouillard. Et même dans les meilleures circonstances possibles, le contact de la réalité tend à nous échapper, comme si nous n'étions jamais assez éveillés pour être certains de ne pas songer encore : 'nous veillons dormans et veillans dormons. Je ne vois pas si clair dans le sommeil ; mais, quand au veiller, je ne le trouve jamais assez pur et sans nuage. Encores le sommeil en sa profondeur endort par fois les songes. Mais nostre veiller n'est jamais si esveillé qu'il purge et dissipe bien à point les resveries, qui sont les songes des veillants, et pires que songes' (*Ibid.*, p. 581).

(C) Duperie des sens et faiblesse de la raison

Nous ne pouvons distinguer entre rêves et pensées, inconscience et conscience. Il en est ainsi parce que les sens sont trompeurs et la raison insuffisante. Montaigne généralise ses observations et aboutit à une condamnation sans appel des moyens humains de connaissance. Nous ne savons rien, en effet, si nous sommes incapables de déterminer avec certitude une chose qui nous touche d'aussi près que la réalité de nos sensations. Il faut blâmer notre raison qui fonctionne 'hazardeusement et inconsideerement' (I, xlvii, p. 50). Contrairement à ce que croyait Platon, elle n'est pas un pur esprit qui échappe à l'imperfection de notre nature terrestre : 'il est certain que nostre apprehension, nostre jugement et les facultez de nostre ame en general souffrent selon les mouvemens et alterations du corps, lesquelles alterations sont continuelles' (II, xii, *pléiade*, p. 547). Montaigne signale l'effet de la maladie, des émotions, de la boisson sur le raisonnement. Mais l'entendement n'est pas le plus faillible. 'Quant à l'erreur et incertitude de l'operation des sens, chacun s'en peut fournir autant d'exemples qu'il luy plaira, tant les fautes et tromperies qu'ils nous font sont ordinaires' (*Ibid.*, pp. 576–7). 'Or toute cognoissance s'achemine en nous par les sens: ce sont nos maistres' (*Ibid.*, p. 572). Dire qu'ils 'sont le commencement et la fin de l'humaine cognoissance' (*Id.*), c'est donc bien dire que cette connaissance est néant.

(II) Songer n'est pas penser

Si la vie est un songe, elle est sans valeur, mais cela veut-il dire que le rêve a plus de prix que la réalité?

(A) C'est folie de se fier aux songes

Montaigne, fasciné par le crépuscule incertain qui sépare le rêve de la réalité, étudie avec assiduité ce que les anciens ont pensé des songes. Mais il ne partage pas leurs croyances religieuses et exprime des doutes au sujet de l'authenticité de certains récits. Dans le mécanisme des rêves, il voit 'plus de fortune que de sens' (II, vi, *pléiade*, p. 355). Si l'on a pu voir des sages se fier à leurs songes, il faut reconnaître que, dans la plupart des cas, c'est folie, et Montaigne nous raconte maintes annecdotes où l'on voit à quel point il désapprouve ceux qui ont suivi l'inspiration puisée dans le sommeil: 'Cambises, pour avoir songé en dormant que son frere devoit devenir Roy de Perse, le fit mourir; un frere qu'il aimoit et duquel il s'estoit toujours fié! [...] Et le Roy Midas [... se suicida], troublé et faché de quelque mal plaisant songe qu'il avoit songé' (III, iv, *pléiade*, p. 817).

(B) Vérité des songes fous

Si le contenu de nos rêves est le fait du hasard, que faut-il penser des cas où ceux-ci nous paraissent exprimer une profonde vérité? Montaigne est conscient de ce problème: 'on recite par divers exemples, et Prestantius de son pere, que, assoupy et endormy bien plus lourdement que d'un parfaict sommeil, il fantasia estre jument et servir de sommier à des soldats. Et ce qu'il fantasioit, il l'estoit' (III, xi, *pléiade*, p. 1010). Le songe nous révèle quelque chose de vrai dont nous n'avions pas eu précédemment conscience. Cette vérité est doublement profonde. D'abord elle est difficile à saisir, la sagesse se dissumulant le plus souvent sous un voile de folie, de trivialité ou de banalité. D'autre part, nous avons le sentiment d'une force supérieure à la nôtre. Jamais notre intuition consciente n'aurait pu aller aussi loin.

(C) La raison seule interprète la vérité des songes

Il semble qu'il y ait parfois plus de raison dans la folie d'un songe que dans les efforts d'un intellect éveillé. Montaigne cependant nous fait remarquer que la sagesse du rêve a besoin d'être interprétée, ce qui ne peut être fait que par la raison à l'état de veille. Un symbole est muet tant qu'il n'a pas été élucidé. Pharaon fait venir Joseph pour lui demander l'explication de son rêve. Le message obtenu est autant l'œuvre de Joseph que celle de Pharaon. Il en va de même pour tous nos songes : il y faut un rêveur et un homme éveillé. Certes, il se peut que nous sachions dégager nous-mêmes le sens de nos rêves, mais nous ne pouvons le faire qu'une fois éveillés, car pendant que nous vivons le rêve, nous ne sommes pas conscients de sa nature symbolique qui exige une explication. Montaigne considère 'qu'il est vray que les songes sont loyaux interpretes de nos inclinations mais il y a de l'art à les assortir et entendre' (III, xiii, p. 257). La raison conserve donc ses droits. Elle parvient même à établir une science des rêves et elle explique les coïncidences que nous rencontrons entre notre vie et nos songes : 'que les hommes retrouvent en songe les choses qui les occupent dans la vie et qu'ils méditent, qu'ils voient, qu'ils font lorsqu'ils sont éveillés, il n'y a là rien d'étonnant', disait Cicéron (*De Divinatione*, I, xxii). Montaigne cite cette phrase (III, xiii, p. 257) parce qu'elle résume bien sa pensée sur ce problème : la raison peut toujours rendre compte de nos songes.

(III) La vie n'est pas un songe

(A) Deux états distincts

La nécessité d'interpréter les rêves prouve l'existence de deux états distincts, le sommeil et la veille. Si nous ne pouvons pas les définir de façon tout à fait satisfaisante, nous pourrons tout au moins suggérer à Montaigne, qui se déclare incapable de les différencier, que l'état de sommeil est celui qui produit des rêves symboliques, et qu'inversement, nous appellerons état de veille celui où nous sommes capables de percer ce symbolisme et de lui donner un sens.

(B) Réalité de l'état de veille

De ces deux états, l'un est plus réel que l'autre. La réalité de l'état de veille, c'est notre propre réalité, car suggérer que le monde extérieur est un songe, c'est bien dire aussi que nous sommes nous-mêmes sans consistance. Voilà pourquoi Descartes, lorsqu'il a voulu réfuter le scepticisme, s'est appliqué à démontrer l'existence du sujet. Cela le conduira à affirmer que ce que nos pensées 'ont de vérité doit infailliblement se rencontrer en celles que nous avons étant éveillés plutôt qu'en nos songes' (IV, p. 38). D'autres philosophes vont encore plus loin, et disent qu'il n'est pas nécessaire de démontrer les premiers principes, comme notre existence et la réalité du monde. Pascal s'exclame : 'nous savons que nous ne rêvons point' (B. 282). Montaigne lui-même, à l'occasion, critique un scepticisme excessif. Même si la raison est faible, même si nous sommes incapables d'atteindre la moindre vérité, au moins nous ne doutons pas d'exister et, comme nous l'enseigne Sganarelle (*Le Mariage forcé*, Acte I, scène v), il faudrait bastonner tout sceptique absolu; il comprendrait au moins la réalité de ses coups de bâton.

(c) Le songe est l'envers de la réalité

Certaines des remarques de Montaigne sont très en avance sur son temps. Avec la psychanalyse, le XXème siècle a beaucoup étudié les rêves, et nous avons vu certaines des profondes intuitions de Montaigne se vérifier. Nous savons, par exemple, que les événements récents de notre vie éveillée se retrouvent toujours dans les rêves, quoique de façon déguisée. Le rêve naît d'impressions laissées dans notre cerveau, mais il les transforme. Il ne reproduit pas, comme une mémoire, ce que nous avons fait: il met en acte ce que nous n'avons pu faire. Il est l'envers de l'état de veille. De même que le sommeil régénère notre corps, il régénère notre esprit et diminue ses tensions en livrant symboliquement ses combats à sa place. Il le repose. Dans la journée, nous nous épuisons à ne penser qu'une chose à la fois; dans le rêve, nous glissons, sans effort et sans ordre, d'une image à l'autre, dans l'espace d'un instant.

Conclusion

Le rêve et l'état de veille sont distincts, puisqu'ils sont complémentaires. On pourrait même dire qu'ils sont contraires, dans le sens où la marche arrière d'une machine serait le contraire de la marche avant. Mais s'ils sont très distincts par leur fonction, ils sont, Montaigne a raison de le rappeler, parfois semblables par leur apparence. Pourquoi Montaigne reprend-il cet antique lieu commun du scepticisme? Est-il lui-même convaincu que la vie est un songe? On en doute. Voyons plutôt ici un jeu de l'esprit, une volonté de confronter une expérience personnelle, profonde et variée, à la rigidité d'un principe. C'est par les exemples et non par les conclusions que la réflexion de Montaigne s'impose à nous, plus par ce qu'il apporte à ce vieux paradoxe que par ce qu'il en retire.

Bernard Jean DESCARTES

1

'Il y a chez Descartes une leçon qui garde toute son actualité et qui est indépendante du contenu de sa philosophie.' (J.-M. Fataud)

Introduction

Il est facile de trop admirer Descartes, comme de le condamner injustement. Taine voulait 'laisser aux écoles de rhétorique les vieilles thèses de Descartes'. D'autres commentateurs, plus récents il est vrai, semblent refuser de voir chez lui les inconséquences et excuser les contradictions. La solution ne consisterait-elle pas à distinguer entre un *système*, dont les faiblesses n'ont pas manqué d'apparaître dès que la science, au XVIIIème siècle, a complété, mais aussi dépassé Descartes, et d'autre part l'*esprit* de la philosophie, qui a donné naissance au système, mais qui, selon M. Fataud, lui survit, leçon pour les philosophes ultérieurs, jusqu'à nous-mêmes?

(I) Le système caduc

Le mot philosophie peut désigner, comme c'était généralement le cas au XVIIème siècle, la philosophie de la nature, et le terme recouvrirait l'œuvre scientifique du philosophe. Il ne fait aucun doute que lorsque M. Fataud parle du 'contenu' de la philosophie cartésienne il fait allusion, au moins partiellement, à ce que nous trouvons dans la cinquième partie du *Discours*. Mais, plus généralement, ce qui est visé, c'est le système, la construction métaphysique et scientifique unifiée qui devait remplacer Aristote. Il va sans dire que ce n'est pas dans ce système que réside la leçon léguée par Descartes.

(A) Les médiévismes

Parmi le contenu périmé de ce système, rien n'est plus grossièrement visible que les restes de médiévisme. Molière avait vu juste: pour se moquer des Femmes Savantes, il leur fait retenir du cartésianisme les aspects les plus caducs: les 'tourbillons', les 'mondes tombants' et la 'matière subtile'. Nous pouvons compléter son choix, la cinquième partie nous révèle tout un fatras de fausses notions: Descartes distingue entre deux types de lumière, la lumière émise et la lumière transmise (V, p. 40, ll. 23–30), en cela, il ne fait que reprendre la distinction scolastique entre *lux* et *lumen*. Pour lui le monde est plein, et par conséquent la lumière se propage instantanément dans l'espace. Ces deux notions médiévales sont fausses, et elles étaient déjà fortement mises en doute par la science du XVIIème siècle.

(B) Le mécanisme pseudo-scientifique

Descartes est immanquablement le plus démodé et le plus anti-scientifique dans les moments où il se croit le plus moderne. Sa cosmogonie nous en offre un exemple saisissant. Luttant contre la vision simpliste et toute faite que l'Eglise avait déduite de la Bible, Descartes croit marquer un pas en avant. Mais Koyré a raison de dire, dans ses *Entretiens sur Descartes*, que son effort est 'la revanche de Platon'. Descartes croyait certes bien 'faire Einstein', et 'la physique d'Einstein, qui réduit le réel au géométrique est [. . .] une revanche de Descartes'. Mais la présentation cartésienne de la naissance du monde, avec son chaos initial mis en ordre par une divinité, fait davantage penser au Mythe de la Création qu'à une explication scientifique moderne. La théorie des animaux-machines, celle des esprits-animaux sont d'autres exemples d'une volonté de tout expliquer coûte que coûte. Elles trahissent l'engouement de l'époque pour les 'machines' sans révéler de véritable esprit scientifique.

(C) Les erreurs scientifiques

Nous voyons dans le 'Système' des erreurs scientifiques et des fautes d'interprétation qui nous montrent l'excessive ambition du promoteur. Nous ressentons à chaque instant que le principe unificateur, marque d'un système, n'a pas été trouvé; et Descartes, au lieu d'abandonner certaines questions, s'efforce, par des moyens aussi ingénieux qu'hypothétiques, de masquer ces carences.

Il nous dit qu'il s'est intéressé au mouvement des astres et au problème des marées. Il parvient, dans le second cas (V, p. 42), à poser le principe d'une influence de la lune sur le mouvement des mers. Cela est déjà admirable. Mais il lui manque la vue d'ensemble que donne la théorie de la gravitation de Newton. De même, il dit très bien que la pesanteur ne saurait être une vertu de type aristotélicien, que les corps n'ont pas la 'propriété' de tomber vers le bas, mais qu'ils sont attirés vers le centre de la terre (V, p. 42). Ici encore, cependant, il s'arrête à un pas de l'intuition capitale.

Dans un autre domaine, la science du XVIIIème siècle apportera des solutions définitives qui donnent rétrospectivement aux efforts de Descartes un aspect d'impuissance. Ses observations sur 'la chaleur sans lumière' et 'la lumière sans chaleur' (V, pp. 42–3) montrent une intelligence des phénomènes de la combustion qui est encore à mille lieues de la chimie de Lavoisier. Cela affecte considérablement ses théories sur les mouvements du cœur et le changement du sang veineux en sang artériel.

(D) Conclusion

Lorsque le XVIIIème siècle comparera sa propre science à celle de Descartes, il aura tendance à renier celui en qui il voit néanmoins l'ancêtre du rationalisme. Voltaire sera le chef de file de cette tendance. Le tort de Descartes, c'est de n'avoir pas suivi assez sa propre méthode, c'est de s'être laissé entraîner aux séductions de la logique pure et d'avoir pensé que la vérité d'une proposition se mesure à la richesse intellectuelle qu'elle nous livre. Trop intellectualiste, oubliant souvent l'expérimentation, Descartes ressemble parfois beaucoup à Aristote.

(II) La leçon méthodologique

(A) Le XVIIIème siècle admire la méthode

Le *Discours* précède les traités sur la Dioptrique, les Météores et la Géométrie, comme les *Regulæ* avaient précédé le traité du *Monde*. C'est dire que la méthode doit précéder le système, et l'échec de celui-ci n'enlève rien à la valeur de celle-là. Le grand thème du XVIIIème siècle est que la méthode de Descartes reste une leçon toujours valable. Voltaire nous rappelle plaisamment qu''il se trompa, mais ce fut au moins avec méthode'. Avec plus de courtoisie, Fontenelle est du même avis; c'est Descartes 'qui a amené cette nouvelle manière de raisonner, beaucoup plus estimable que sa philosophie même'.

(B) La méthode trop condensée dans le *Discours*

Si, cependant, nous nous tournons vers la deuxième partie pour trouver la confirmation et l'explication de tant d'enthousiasme, nous risquons d'être fort déçus. Tout d'abord, la méthode est énoncée en deux pages fort sèches; c'est peu pour un ouvrage dont elle constitue le sujet. On peut être sensible à la simplification radicale apportée par la nouvelle logique. Quatre préceptes remplacent l'extrême complexité des règles d'Aristote et de la scolastique. Cela devrait être un avantage. Mais la concision ne conduit-elle pas Descartes à la tautologie? La critique railleuse de Leibnitz semble justifiée quand il dit 'que les règles de Descartes sont semblables au précepte de je ne sais quel chimiste: "Prenez ce qu'il faut, procédez comme il faut et vous obtiendrez le résultat souhaité". N'admettez rien, si ce n'est ce qui est évidemment vrai (soit ce que vous devez admettre), divisez la chose en autant de parties qu'il est requis (soit faites ce qu'il faut faire), procédez par ordre (soit comme il faut), énumérez parfaitement (soit les choses qu'il faut)'.

(c) La méthode n'est pas infaillible

Une critique plus sérieuse peut être adressée à la méthode. Descartes lui attribue une valeur absolue et universelle, il la pare de l'attribut douteux de l'infaillibilité. Il croit que le degré de certitude dépend du degré de méthode appliquée. Il ne voit pas que certains sujets se prêtent plus ou moins bien à la méthode, et il néglige en particulier la vérification expérimentale. Le XXème siècle a découvert cette vérité essentielle, qui semble avoir complètement échappé à Descartes, que chaque sujet, chaque domaine, doit être attaqué à l'aide d'une méthode spécifique.

(d) La leçon mathématique de la méthode

Pourtant, la leçon de Descartes se situe, du moins dans une grande mesure, dans sa méthode, si nous voulons bien considérer celle-ci comme une attitude générale envers la connaissance. L'enseignement le plus vivace nous apparaîtra l'application des mathématiques aux autres domaines du savoir. Elles sont la propédeutique, non seulement de toute autre science, mais de toute connaissance. Elles accoutument l''esprit à se repaître de vérités, et ne se contenter point de fausses raisons'. (II, p. 20). Cette application des mathématiques aux autres domaines est ce qui marque la philosophie cartésienne au sceau du modernisme. Non seulement elles préparent notre esprit à trouver des vérités, mais elles offrent le critère de toute vérité. Bien sûr, nous ne devons pas en attendre une illusoire certitude dans tous les domaines, nous avons déjà parlé de cet écueil. Mais une fois nos réserves admises, les mathématiques sont pour notre méthode le *modèle* de la connaissance vraie, 'à cause de la certitude et de l'évidence de leurs raisons' (I, p. 8). A la fin de sa vie, Descartes pourra, avec fierté, jeter un coup d'œil d'ensemble sur son œuvre. Il a renoncé à l'espoir de parvenir aux propositions les plus 'cachées' ou les plus 'éloignées' (II, p. 19), en particulier dans le domaine de la médecine. Mais malgré ce recul, ou plutôt cet assagissement, sa méthode, véritable 'géométrisation' des connaissances, frappera tellement Spinoza qu'il présentera l'*Ethique* comme un ouvrage de mathématiques.

(e) Conclusion

La leçon de Descartes, c'est la rigueur, l'ordre ; un ordre qui retrouve l'ordre inhérent aux choses, et qui devient, par les mathématiques, l'ordre de l'esprit, une nature rationnelle, un instinct plus fort que l'instinct.

(iii) L'esprit ambitieux

Mais la plus grande leçon, c'est l'esprit cartésien, esprit d'audace et de liberté. Husserl salue le cartésianisme comme la 'philosophie libératrice', et il est intéressant de voir Malebranche se servir contre Descartes de cette liberté apprise de lui: 'Je dois à Monsieur Descartes, ou à sa manière de philosopher, les sentiments que j'oppose aux siens et la hardiesse de le reprendre.'

(A) Confiance dans l'individu

Cette confiance dans les pouvoirs du jugement de l'individu pour lui-même, Descartes ne l'aurait pas désapprouvée. Il semble même avoir répondu par avance à Malebranche: 'J'espère que ceux qui ne se servent que de leur raison naturelle toute pure jugeront mieux de mes opinions que ceux qui ne croient qu'aux livres anciens' (VI, p. 73).

(a) Refus de l'érudition

Face à Aristote, face à toute la scolastique, l'individu doit affirmer qu'il ne s'en laisse pas accroire par un fatras érudit de vraisemblances indémontrées: 'les sciences des livres [...] ne sont point si approchantes de la vérité que les simples raisonnements que peut faire naturellement un homme de bon sens' (II, p. 13).

(b) S'adresse à tout le monde

Cet appel à prendre entre leurs propres mains les fonctions de juges de la vérité concerne tous les hommes. Dès le début du *Discours*, l'auteur nous convoque, nous rappelant que nous avons le moyen d'accomplir cette mission: 'le bon sens est la chose du monde la mieux partagée' (I, p. 3), c'est-à-dire qu'il y a une raison universelle, que possèdent tous les hommes, qui est égale en tous les hommes.

(c) Optimisme intermittant

L'optimisme de Descartes en ce domaine est souvent tempéré de prudence. Après nous avoir dit, dans la première partie, que nous sommes les égaux d'Aristote, il parle, dans la seconde, de 'ceux qui, ayant assez de raison ou de modestie pour juger qu'ils sont moins capables de distinguer le vrai d'avec le faux que quelques autres par lesquels ils peuvent être instruits, doivent bien plutôt se contenter de suivre les opinions de ces autres, qu'en chercher eux-mêmes de meilleures' (II, p. 16). Optimisme intermittant, donc, peur de faire des sceptiques en recommandant le doute à tout le monde, mais nous pouvons retenir néanmoins que, dans l'ensemble, la leçon d'audace s'adresse à tous.

(d) Le doute

Dans le doute, Descartes va jusqu'au bout de cette audace. Non seulement par le rejet dédaigneux de toute croyance, car les croyances lui viennent pour la plupart des autres, mais par l'affirmation qu'il est sûr de trouver sa propre vérité. Ce n'est pas tant le doute que la certitude d'en sortir qui fait le prix de cet original mouvement de pensée. Le doute et le triomphe sur le doute sont toujours affirmés ensemble: 'il fallait [...] que je rejetasse comme absolument faux tout ce en quoi je pourrais imaginer le moindre doute, afin de voir s'il ne resterait point après cela quelque chose en ma créance qui fût entièrement indubitable' (IV, p. 31).

(B) Confiance dans la raison

On sent que pour Descartes, il n'y a jamais eu de véritable crainte d'une immobilisation de la pensée dans le doute. Si Descartes est coupable d'un préjugé, c'est une confiance inébranlable en la vérité du monde, en la possibilité de connaître cette vérité.

(a) Vérité simple

D'abord, cette vérité est simple et facile. Il y a chez Descartes philosophe un savant qui perçoit qu'une loi est nécessairement simple. Toutes les formules de la physique représentent des rapports simples en termes simples. Quand, au contraire, les choses se compliquent mathématiquement, on peut affirmer que la solution définitive n'a pas été trouvée.

(b) Le monde est rationnel

Cette vérité simple existe. Elle n'est pas une façon de parler que nous adoptons pour nous satisfaire, sans préjuger de ce qui se passe réellement. La foi de Descartes en les pouvoirs de la Raison s'appuie sur une foi en la rationalité du monde lui-même. Ce que le Dieu vérace nous garantit, c'est la vérité des rapports intelligibles, et même, avec certaines réserves méthodologiques, des représentations sensibles. Le monde est connaissable, car les lois de la nature et les idées innées qui régissent notre raison se correspondent: 'j'ai remarqué certaines lois que Dieu a tellement établies en la nature, et dont il a imprimé de telles notions en nos âmes qu'après y avoir fait assez de réflexion, nous ne saurions douter qu'elles ne soient exactement observées' (V, pp. 39–40).

(c) L'idée claire et distincte

La leçon de Descartes est donc, spécifiquement, l'affirmation de la possibilité d'un rationalisme réaliste. Tous, nous croyons plus ou moins implicitement que le monde où nous vivons est réel, et que ce que nous en savons est vrai. Nous le croyons même de façon puérile, trop absolue, en ne le démontrant pas. Descartes, lui, le prouve par sa métaphysique, et met en déroute le formalisme.

(a) Le simple est toujours vrai

L'idée claire et distincte est nécessairement vraie, Dieu nous le garantit, parce qu'elle est simple. La connaissance du simple est une connaissance totale, absolue. Il y a sur chaque problème, convenablement isolé par la méthode, une idée claire et distincte, et une seule, qui nous révèle la totalité de ce problème: 'n'y ayant qu'une vérité de chaque chose, quiconque la trouve en sait autant qu'on en peut savoir' (II, p. 21).

(b) L'intuition est toujours vraie

Cette connaissance entière, c'est une intuition. La philosophie de Descartes affirme que l'intuition est plus simple, et par suite plus sûre que la déduction même. C'est donc sans limitation aucune que nous pouvons aborder aux terres de la vérité avec le passeport que nous donne Descartes.

(c) Le *Cogito* fondement du rationalisme

L'intuition privilégiée, celle à laquelle il faut sans cesse revenir, comme Descartes le fait lui-même, c'est le *Cogito*. Si l'audace et la liberté sont les leçons du cartésianisme, le *Cogito* en est l'essence, et, parce qu'il assure à la pensée son fondement inébranlable, il fait de Descartes, dans les termes de Hegel, 'le véritable fondateur de la philosophie moderne en tant qu'elle prend la pensée pour principe'.

Conclusion

Péguy disait: 'une grande philosophie n'est pas une philosophie sans reproche, c'est une philosophie sans peur.' Des reproches, on peut en faire à Descartes, et celui d'avoir attaché trop d'importance à son système serait l'un des plus graves: plus que d'avoir douté de tout, il était fier d'avoir tout trouvé. Mais ce que nous devons retenir de cette attitude d'esprit c'est l'audace avec laquelle elle s'est lancée à la recherche de la vérité et nous convie à en faire autant nous-mêmes.

François Mouret DESCARTES

2

'L'action de la pensée par laquelle on croit une chose étant différente de celle par laquelle on connaît qu'on la croit, elles sont souvent l'une sans l'autre' (III, p. 23)

Introduction

Observateur curieux des opinions diverses qui sont 'communément reçues en pratique par les mieux sensés' (III, p. 23) et désireux d'examiner la part de vérité qu'elles contiennent, Descartes est forcé de constater le peu de rigueur avec lequel les hommes jugent ce qu'ils considèrent; et c'est alors qu'il remarque, avec lucidité, que 'l'action de la pensée par laquelle on croit une chose' est 'différente de celle par laquelle on connaît qu'on la croit'. Le philosophe établit ainsi une dissociation nette entre croire et connaître qui sont deux activités distinctes de l'esprit. Et le fait que ces actions de la pensée sont 'souvent l'une sans l'autre' est grave, car cela implique que, touchant un même sujet, on ne discerne pas ce qui est croyance de ce qui est connaissance. Et la confusion qui en résulte est une source d'erreurs permanentes sur le monde et sur soi. Aussi Descartes s'attache-t-il à distinguer ces deux façons de savoir qui n'ont de commun que l'apparence. Qu'est-ce donc, selon lui, que croire une chose? Et comment parvient-on à connaître qu'on croit? Enfin, est-il possible de faire abstraction de toute croyance, consciente ou inconsciente, pour parvenir à une connaissance certaine?

(I) Croire

Décrivant 'l'action de la pensée par laquelle on croit une chose', Descartes remarque qu'elle provient d'une illusion dont les sens et l'imagination sont la cause; et cette tromperie est telle que celui qui croit est persuadé qu'il connaît, ce qui a pour conséquence la multiplicité de ces opinions qui passent pour des vérités très assurées.

(A) Croire c'est être trompé

Croire consiste, en effet, à se laisser abuser par des sensations fallacieuses ou des visions irréelles, à tenir les pensées du sommeil pour aussi véritables que celles de la veille. Car il est certain que 'nos sens nous trompent' (IV, p. 31), et il est rare qu'une chose soit 'telle qu'ils nous la font imaginer' (IV, p. 31). Ainsi, accepter que le soleil soit 'de la grandeur que nous le voyons' (IV, p. 38), c'est se laisser convaincre sans faire preuve du moindre esprit critique, alors que 'nous ne nous devons jamais laisser persuader qu'à l'évidence de notre raison' (IV, p. 38). Il apparaît donc que croyance et connaissance s'opposent. L'une et l'autre sont effectivement le résultat de facultés différentes comme le sont la raison qui recherche la vérité avec rigueur et les puissances qui égarent l'homme en lui transmettant une vision déformée et inexacte du monde.

(B) Croire, c'est être persuadé que l'on connaît

Or la pire tromperie réside, précisément, dans le fait que celui qui croit une chose est convaincu qu'il détient une vérité indubitable, c'est-à-dire qu'il croit qu'il connaît. Descartes lui-même en a fait maintes fois l'expérience, ainsi qu'il l'avoue: 'souvent les choses qui m'ont SEMBLE VRAIES lorsque j'ai commencé à les concevoir, m'ont PARU FAUSSES lorsque je les ai voulu mettre sur le papier' (VI, p. 62). Ce qui lui 'semblait vrai' n'était qu'une croyance sans discernement et il a fallu tout l'effort de la raison pour que cela lui 'paraisse faux' de façon claire et certaine. Mais il n'en va pas de même pour chaque homme. Géneralement, celui qui croit demeure assuré qu'il sait et ne revient pas sur le jugement qu'il porte. Et Descartes de remarquer alors: 'pour ce qui touche les mœurs, chacun abonde SI FORT EN SON SENS, qu'il se pourrait trouver autant de réformateurs que de têtes, s'il était permis à d'autres qu'à ceux que Dieu a établis pour souverains sur ses peuples, ou bien auxquels il a donné assez de grâce et de zèle pour être prophètes, d'entreprendre d'y rien changer' (VI, p. 58). Mais Dieu n'inspire pas chacun de l'esprit de vérité et néanmoins chacun prend les préjugés auxquels il croit pour des connaissances de la raison.

(C) Les inconséquences de croire

Et de cette assurance fallacieuse que croire c'est connaître il résulte une multiplication illimitée de jugements qui n'a d'égale que l'infinie possibilité d'erreurs touchant une chose. Très tôt, en effet, Descartes avait eu l'occasion de constater 'les différences qui ont été de tout temps entre les opinions des plus doctes' (II, p. 16); quant aux 'mœurs des autres hommes', il devait dire à leur propos: 'je n'y trouvais guère de quoi m'assurer, et [. . .] j'y remarquais quasi autant de diversité que j'avais fait auparavant entre les opinions des philosophes' (I, p. 11). Et cette divergence 'ne vient pas de ce que les uns sont plus raisonnables que les autres, mais seulement de ce que nous conduisons nos pensées par diverses voies' (I, p. 3), en d'autres termes, de ce que certains abandonnent la direction qu'indique la raison pour s'égarer en suivant aveuglément ce que les sens et l'imagination leur font accroire. Celui qui s'en tient aux croyances fait donc preuve d'une faiblesse de jugement, car il reçoit comme vraies plusieurs idées différentes alors qu'il n'y a 'qu'une vérité de chaque chose' (II, p. 21).

Si croire est ainsi un piège dans lequel même les esprits savants n'évitent de tomber, tant chacun est disposé à se laisser persuader par de fausses certitudes, comment savoir alors que ce que nous acceptons est une simple croyance au lieu d'une véritable connaissance?

(II) Connaître qu'on croit

La constatation du fait qu'il puisse y avoir de nombreuses opinions diverses, touchant un même sujet, qui soient communément admises parmi les hommes, est pour Descartes le début d'une prise de conscience qui l'amène à reconsidérer ces affirmations toutes en désaccord les unes avec les autres et à découvrir qu'elles ne sont que des croyances sans fondement dont il faut apprendre à douter, au lieu de les tenir pour des connaissances indubitables.

(A) Les contradictions parmi les opinions multiples

Et de fait, Descartes que troublent les contradictions qu'il observe en comparant les déclarations des meilleurs esprits se trouve 'embarrassé de tant [...] d'erreurs' qu'il lui semble n'avoir rien appris d'autre, en voulant s'instruire, qu'à découvrir 'de plus en plus [son] ignorance' (I, p. 6). Et c'est pourquoi il décide de 'ne rien croire trop fermement de ce qui ne [lui] avait été persuadé que par l'exemple et par la coutume' (I, p. 11). Et dès lors la croyance perd de cette certitude qui la faisait confondre avec une connaissance assurée, à tel point que Descartes refuse de suivre plus longtemps 'ceux qui font profession de savoir plus qu'ils ne savent' (I, p. 10), c'est-à-dire ceux qui se contentent de croire les choses au lieu de chercher à les connaître.

(B) Ces opinions contradictoires ne sont que des croyances

Et c'est ainsi que ces opinions multiples dont les contradictions prouvent la fausseté cessent d'être reçues comme des vérités connues pour être reléguées au rang des croyances sans fondement sûr: 'considérant, écrit alors Descartes, combien il peut y avoir de diverses opinions touchant une même matière, qui soient soutenues par des gens doctes, sans qu'il puisse avoir jamais plus d'une seule qui soit vraie, je réputais presque pour faux tout ce qui n'était que vraisemblable' (I, pp. 9–10). Ce qui revenait à prendre la liberté de 'penser qu'il n'y avait aucune doctrine dans le monde qui fût telle qu'on [lui] avait auparavant fait espérer' (I, p. 6). Mais si toutes les croyances sont sans vérité, ainsi que Descartes est porté à l'admettre et si, par ailleurs, l'ensemble des opinions émises sur la nature des choses ne sont que des spéculations d'esprits crédules, c'est impliquer que celui qui voudrait savoir avec certitude ne peut guère que douter.

(c) Connaître qu'on croit c'est douter

Et le fait est que, dès l'instant où Descartes connaît qu'il croit, il doute, autrement dit, il prend la résolution de ne plus s'appuyer 'sur les principes' qu'il s'était 'laissé persuader [...], sans avoir jamais examiné s'ils étaient vrais' (II, pp. 14–15). Et découvrir de la sorte que les croyances mènent le monde, c'est vouloir 'se défaire de toutes les opinions qu'on a reçues auparavant en sa créance' (II, p. 16) pour les 'remettre toutes à l'examen' (III, p. 23), dans l'espoir de parvenir à rejeter ces fausses vérités, ces erreurs qui offusquent 'notre lumière naturelle' et nous rendent 'moins capables d'entendre raison' (I, p. 11). Le doute cartésien apparaît donc comme un moyen d'éliminer la croyance afin qu'elle ne passe plus pour une vérité certaine.

Mais cette découverte méthodique de tout ce qui provient de l'action de croire, si elle dénonce les contradictions qui existent parmi les opinions des hommes et met en garde contre des créances mal fondées, semble négative dans la mesure où elle consiste en un relevé général d'erreurs et en une attitude de défiance à l'égard des idées reçues. Serait-ce donc à dire qu'il n'y a que deux options : croire et être trompé ou connaître qu'on croit et savoir qu'on se trompe ?

(III) Connaître

Non pas ; 'l'action de la pensée par laquelle [...] on connaît qu'on [...] croit' n'est pas une fin en soi. C'est un moyen transitoire qui permet de passer de la croyance incertaine à la vérité sûre, car le doute, tel que Descartes le pratique, conduit à la connaissance.

(A) Douter pour connaître

Pour le philosophe, en effet, il ne s'agit pas de rester sceptique. S'il doute, c'est pour trouver l'indubitable. Et c'est bien ainsi qu'il procéda quand il se mit à penser que rien n'était vrai de ce qu'il savait : 'il fallait, explique-t-il, que je rejetasse comme absolument faux tout ce en quoi je pourrais imaginer le moindre doute, afin de voir s'il ne resterait point après cela quelque chose en ma créance qui fût entièrement indubitable' (IV, p. 31). Son propos était donc d'ôter de son esprit toutes les opinions qu'il y avait reçues, non point pour demeurer incertain et indécis, mais 'afin d'y en remettre par après ou d'autres meilleures, ou bien les mêmes,' lorsqu'il les aura 'ajustées au niveau de la raison' (II, p. 14), c'est-à-dire, lorsqu'il aura eu la conviction ferme qu'il s'agit moins de croyances que de véritables connaissances. Le doute cartésien, en accoutumant l''esprit à se repaître de vérités' et à 'ne se contenter point de fausses raisons' (II, p. 20), se confond donc avec l'action par laquelle on connaît une chose. Et Descartes pouvait alors faire un principe fondamental de la connaissance que 'de ne recevoir jamais aucune chose pour vraie que je ne la connusse évidemment être telle: c'est-à-dire d'éviter soigneusement la précipitation et la prévention, et de ne comprendre rien de plus en mes jugements que ce qui se présenterait si clairement et si distinctement à mon esprit, que je n'eusse aucune occasion de le mettre en doute' (II, pp. 18–19).

(B) Connaître c'est cesser de croire

Et de cette découverte de la vérité par le doute méthodique et sélectif il résulte que connaître implique que l'on cesse de croire, car ces deux actions de la pensée dont l'une débouche sur des idées sans fondement, et l'autre sur des affirmations qui ont toute la force des démonstrations mathématiques, sont opposées et incompatibles. Descartes analyse ainsi cette élimination systématique des croyances par la connaissance: 'tâchant à découvrir la fausseté ou l'incertitude des propositions que j'examinais, non par de faibles conjectures, mais par des raisonnements clairs et assurés, je n'en rencontrais point de si douteuses que je n'en tirasse toujours quelque conclusion assez certaine' (III, p. 28). D'un côté, l'erreur et l'incertitude de tout ce que l'on croit et, de l'autre, la clarté et l'assurance de ce qui est connu et s'impose si fortement à l'esprit convaincu que 'toutes les mauvaises opinions' que l'on avait reçues en sa créance sont définitivement 'déracinées' (II, p. 22). Mais cette connaissance des choses que Descartes poursuit avec la raison, cette distinction rigoureuse entre le vrai qu'il retient et le vraisemblable qu'il rejette se fait-elle entièrement au moyen de preuves démontrées et sans l'intervention de la moindre croyance? L'action de connaître est-elle indépendante de toute action de croire?

(C) La connaissance est une croyance du bon sens

C'est en effet une particularité du système cartésien que la connaissance des choses repose, à l'origine, sur une croyance, non plus de l'imagination ou autres puissances trompeuses, mais du bon sens qui est la faculté 'de bien juger et distinguer le vrai d'avec le faux' (I, p. 3). Descartes prend effectivement 'pour règle générale que les choses que nous concevons fort clairement et fort distinctement sont toutes vraies' (IV, p. 32). Or cette affirmation n'est pas le résultat d'une connaissance établie par des démonstrations rigoureuses de la raison, ce n'est pas une preuve car, remarque Descartes, 'il n'y a rien du tout en ceci [. . .] qui m'assure que je dis la vérité' (IV, p. 32), sinon qu'il s'agit là d'une évidence à laquelle le bon sens croit et dont il serait extravagant de vouloir douter. Ainsi l'homme qui n'est pas 'tout connaissant' (IV, p. 34) doit-il faire usage de sa faculté de croire, mais de façon sensée, c'est-à-dire sans être crédule et en acceptant uniquement en sa créance ce dont il ne peut douter.

Conclusion

Descartes dont le propos était de vouloir parvenir à la connaissance certaine des choses au moyen de la raison qui le persuadait que la vérité est unique, fut donc amené à établir une distinction rigoureuse entre ces deux actions de la pensée entièrement différentes que sont croire et connaître. De la croyance il se défie car elle est vraisemblable sans être vraie et propose des explications sans fondement ou de fausses raisons suggérées par les sens et l'imagination qui trompent l'homme à tous moments. Seul le doute permet alors l'élimination méthodique de ces opinions erronées qui sont communément tenues pour des connaissances certaines, tandis qu'elles ne sont que des croyances dépourvues de certitude. Et en toute lucidité Descartes connaît ainsi qu'il croit. Mais ce philosophe qui n'était pas sceptique par goût de l'indécis reste persuadé qu'une connaissance, autre que celle qui convainc de l'incertitude des jugements humains, est à sa portée. Or pour parvenir à découvrir la nature des choses avec quelque assurance de vérité il doit accepter de croire à nouveau. Cette nécessité n'entraîne pas toutefois une contradiction fondamentale dans la démarche intellectuelle de Descartes, car la nouvelle croyance qu'il retient diffère, de par sa nature, des précédentes auxquelles elle est supérieure, puisqu'elle est consciente et demande l'adhésion à une évidence que le bon sens accepte. Et c'est ainsi que dans le système cartésien l'action de connaître qui s'oppose à celle de croire repose cependant sur une croyance que la raison ne peut transformer en connaissance.

François Mouret DESCARTES

3

'Nous ne nous devons jamais laisser persuader qu'à l'évidence de notre raison.' (IV, p. 38)

Introduction

L'occupation de Descartes a été 'd'employer toute [sa] vie à cultiver [sa] raison' afin d'aller toujours plus avant 'en la connaissance de la vérité' (III, p. 26). Aussi affirme-t-il, conformément à son propos et à sa méthode de penser, que 'nous ne nous devons jamais laisser persuader qu'à l'évidence de notre raison'. A tous moments, le seul guide de l'homme devrait donc être sa raison et non point les sens, l'imagination et autres puissances qui trop souvent le trompent. Est-ce à dire, pour autant, que Descartes n'ait pas cédé à la tentation de se laisser persuader par les inventions de la fantaisie ou par des sensations fallacieuses, et qu'il n'ait point douté, par ailleurs, des aptitudes de l'intelligence à raisonner juste, toujours et partout? A quelle faculté, en réalité, l'auteur du *Discours de la Méthode* confia-t-il la direction de sa recherche de la vérité?

(I) La raison est le seul guide

Cette affirmation que 'nous ne nous devons jamais laisser persuader qu'à l'évidence de notre raison' n'est pas une prise de position théorique, mais résulte de l'observation constante que, si la raison n'y veille, l'homme, naturellement 'sujet à faillir' (IV, p. 31), est enclin à se laisser abuser par les sens et l'imagination qui lui proposent, chaque fois qu'il s'efforce de comprendre les choses et d'en découvrir la nature, de fausses informations et des explications erronées.

(A) Les sens sont trompeurs

Le propre des sens, remarque effectivement Descartes, est de nous faire concevoir la réalité autrement qu'elle n'est: il y a donc lieu de se défier de tout ce qu'ils communiquent sur le monde extérieur. Et c'est ce que fit, méthodiquement, le philosophe qui voulait 'vaquer seulement à la recherche de la vérité': 'à cause que nos sens nous trompent quelquefois, explique-t-il, je voulus supposer qu'il n'y avait aucune chose qui fût telle qu'ils nous la font imaginer' (IV, p. 31). Cette tromperie vient de ce que l'homme tient pour exacts les renseignements fournis par les appareils sensoriels, alors qu'ils exigent d'être contrôlés et corrigés par la raison. Et c'est pourquoi Descartes insiste sur le fait que 'nos sens ne nous sauraient jamais assurer d'aucune chose si notre entendement n'y intervient' (IV, p. 36). Il suffit, pour s'en convaincre, de penser que 'ceux qui ont la jaunisse voient tout de couleur jaune' (IV, p. 38), sans que le monde extérieur le soit pour autant. Mais cette rectification de ce que transmet l'œil crédule ne peut être faite que par l'intervention de l'esprit qui, lui seul, est critique. Et la soumission à l'examen de la raison de chaque perception des sens est nécessaire pour éviter une tromperie générale et un empêchement d'atteindre à la connaissance universelle, c'est-à-dire à Dieu qui est le garant de toute vérité; Descartes remarque, en effet, que 'ce qui fait qu'il y en a plusieurs qui se persuadent qu'il y a de la difficulté à le connaître, et même aussi à connaître ce que c'est que leur âme, c'est qu'ils n'élèvent jamais leur esprit au delà des choses sensibles' (IV, p. 35), et qu'ils se satisfont de ces informations partielles et inexactes que proposent les sens livrés à eux-mêmes.

(B) L'imagination est trompeuse

L'erreur est plus grave encore lorsque nous nous laissons persuader par le délire de l'imagination au lieu de l'évidence de la raison, car, si les sens nous trompent le plus souvent, la fantaisie nous égare toujours. Il n'y a rien de vrai dans les visions qu'elle nous fait entrevoir. Ainsi, 'nous pouvons bien imaginer distinctement une tête de lion entée sur le corps d'une chèvre, sans qu'il faille conclure pour cela qu'il y ait au monde une chimère' (IV, p. 38). Or pourquoi ce qui est conçu sous l'empire de l'imagination n'est-il pas véritable? Parce que cette puissance trompeuse procède comme une pensée qui rejetterait les éléments logiques du raisonnement pour n'utiliser qu'une série d'informations sensibles et par conséquent inexactes. C'est ainsi que certains 'sont tellement accoutumés à ne rien considérer qu'en l'imaginant qui est une façon de penser particulière pour les choses matérielles, que tout ce qui n'est pas imaginable leur semble n'être pas intelligible' (IV, p. 35). Se fier, de la sorte, à l'imagination revient, non seulement, à limiter son aptitude à connaître, mais à se maintenir aussi dans un état semblable à un sommeil permanent qui fait que la raison endormie laisse libre cours aux dérèglements de la fantaisie. Et il faut, en la circonstance, toute la lucidité d'un esprit clairvoyant pour s'assurer que 'nos raisonnements ne sont jamais si évidents ni si entiers pendant le sommeil que pendant la veille, bien que quelquefois nos imaginations soient alors autant ou plus vives et expresses' (IV, p. 38).

(c) Se fier à la seule raison

L'unique faculté qui permette de prendre garde à la folie des songes et de corriger les tromperies des sens est donc la raison. Et c'est elle qu'il faut suivre sans cesse, comme un guide sûr et infaillible. Aussi, Descartes a-t-il conçu une méthode fondée sur la seule raison afin de pouvoir contrôler et rejeter ces choses fausses ou simplement douteuses que les sens transmettent et que suggère l'imagination. Et c'est là tout l'objet du premier principe qui consiste à 'ne recevoir jamais aucune chose pour vraie' sans que l'entendement n'ait critiqué et corrigé cette perception sensible de façon à ce que rien ne soit tenu pour véritable qui ne l'est 'évidemment' et qui pourrait, en quelque occasion, être mis 'en doute' (II, pp. 18–19). En se fiant ainsi à la sûreté de son jugement, Descartes parvient, par le seul moyen d'une chaîne de 'raisonnements', à 'connaître la nature de Dieu' (IV, p. 34) qui donne à toutes idées rectifiées par la raison 'la perfection d'être vraies' (IV, p. 37).

Selon Descartes, il est donc indispensable que nous n'acceptions jamais que les évidences de notre raison; et il insiste: 'de notre raison, et non point: de notre imagination ni de nos sens' (IV, p. 38) qui, s'ils sont crus sans discernement, induisent en erreur, inévitablement. Mais l'auteur même du *Discours de la Méthode* a-t-il toujours observé ce précepte avec rigueur? Et l'expérience de la connaissance ne lui a-t-elle point prouvé que la raison peut être parfois insuffisante, voire mensongère?

(ii) La raison n'est pas toujours un guide unique et sûr

(a) Descartes physicien raisonne faux

Descartes, en effet, n'a pas toujours fait preuve de la défiance requise à l'égard des puissances qu'il savait trompeuses. Voulut-il résoudre quelques 'questions de physique' et chercher 'l'explication du mouvement du cœur' (V, p. 39) et autres difficultés, qu'il cessât alors 'de ne recevoir aucune chose pour vraie qui ne [lui] semblât plus claire et plus certaine que n'avaient fait auparavant les démonstrations des géomètres' (V, p. 39). Et c'est alors qu'il raisonne faux pour se laisser aller à penser avec son imagination au lieu de se rendre à l'évidence d'une réflexion de l'esprit, logique, rigoureuse, scientifique. Et dans la cinquième partie du *Discours de la Méthode*, consacrée à l'exposé de tout ce que le philosophe pensait savoir 'touchant la nature des choses matérielles' (V, p. 40), Descartes fait œuvre de poète qui suit sa fantaisie plutôt que de physicien qui se conforme à la réalité du monde. C'est ainsi que voulant exposer ce qu'il concevait de la lumière, du soleil, des étoiles, des cieux, des planètes, des comètes, de la terre, des corps 'transparents ou lumineux' (V, p. 40), de l'homme enfin, il se résolut à 'parler seulement de ce qui arriverait dans un NOUVEAU [monde] SI Dieu créait maintenant quelque part, dans les espaces IMAGINAIRES, assez de matière pour le composer, et qu'il agitât diversement et sans ordre les diverses parties de cette matière, en sorte qu'il en composât un chaos aussi confus que les POETES en puissent FEINDRE, et que par après, il ne fît autre chose que prêter son concours ordinaire à la nature, et la laisser agir suivant les lois qu'il a établies' (V, p. 41). Descartes écrit une seconde genèse, invente un monde fictif au mode conditionnel, par prudence assurément, mais qui n'en n'est pas moins le fondement de suppositions présentées comme des explications qui auraient toute la certitude des démonstrations mathématiques, lesquelles distinguent toujours 'les vraies raisons des vraisemblables' (V, p. 47). Et dans ces conditions, l'explication du mouvement du cœur devient une imprudence de pensée qui se fait, soudain, plus imaginative que raisonnable.

(B) La raison est faillible

Ainsi Descartes tombe dans l'erreur pour avoir manqué de sens, ce qui semblerait confirmer que 'nous ne nous devons jamais laisser persuader qu'à l'évidence de notre raison'. Et pourtant, force est de constater que ce guide, qui semble devoir protéger l'homme contre les idées incertaines, n'est pas toujours sûr. Et de même qu'à ne pas le suivre on se condamne à être trompé par les apparences, de même, en ne le quittant pas il arrive qu'on aboutisse à des résultats faux. Et Descartes en est conscient qui reconnaît que certains 'se méprennent en raisonnant, même touchant les plus simples matières de géométrie, et y font des paralogismes' (IV, p. 31). La raison humaine peut donc être faillible, vicieuse, insensée et induire en erreur tout comme les sens ou l'imagination.

(C) La raison est un guide insuffisant

Point toujours exacte dans sa démarche, cette raison peu sûre s'avère même inapte à traiter convenablement des matières théologiques, car celles-ci se composent de vérités révélées, inaccessibles à la simple logique de l'entendement. Aussi Descartes déclare-t-il: 'je révérais notre théologie, et prétendais autant qu'aucun autre à gagner le ciel; mais ayant appris, comme chose très assurée, que le chemin n'en est pas moins ouvert aux plus ignorants qu'aux plus doctes, et que les vérités révélées qui y conduisent sont au-dessus de notre intelligence, je n'eusse osé les soumettre à la faiblesse de mes raisonnements, et je pensais que pour entreprendre de les examiner et y réussir, il était besoin d'avoir quelque extraordinaire assistance du ciel, et d'être plus qu'homme' (I, p. 9). Faculté humaine, et faible en conséquence, la raison est donc limitée dans ses exercices et incapable de nous faire accéder à une connaissance absolue et universelle.

Si le jugement est à peine moins trompeur et borné que ne le sont les sens et l'imagination, à quelle faculté l'homme doit-il alors se fier pour parvenir, en toute certitude, 'à distinguer le vrai d'avec le faux', à 'voir clair', à 'marcher avec assurance en cette vie' (I, p. 11)? Au bon sens qui est la puissance naturelle de bien juger et consiste à utiliser avec raison et discernement les impressions sensibles qui servent d'intermédiaires entre le monde extérieur et l'être pensant.

(III) Le seul guide est le bon sens

(A) Les sens suppléent la raison avec l'accord du bon sens

C'est en effet en se conformant à l'évidence du bon sens que Descartes a conçu sa méthode de connaissance, a poursuivi sa réflexion et décidé de sa conduite. Ainsi, dans son système, les sens suppléent les insuffisances de la raison qui n'est pas un guide unique et toujours sûr, chaque fois que le bon sens l'autorise; et de fait, lui seul permet d'accepter les idées claires comme des vérités indubitables. Que sont-elles, en effet, ces idées simples, sinon des intuitions, c'est-à-dire des connaissances qui ne recourent pas au raisonnement. Pourquoi alors les recevoir quand nous savons que 'nous ne nous devons jamais laisser persuader qu'à l'évidence de notre raison'? C'est que, à l'exception des 'idées de Dieu et de l'âme' qui 'n'ont jamais été' premièrement 'dans le sens' (IV, p. 36), nous n'avons conscience de l'existence des objets extérieurs tels que les corps, les astres, la terre, etc., que par les impressions sensibles qu'ils font sur nous. Et si la raison ne peut effectivement prouver leur réalité avec certitude, il faut néanmoins y croire, car nous avons 'une assurance morale de ces choses, qui est telle qu'il semble qu'à moins d'être extravagant on n'en peut douter' (IV, p. 36). L'homme sensé, lui, n'en doute pas, mais inclut ces objets dans l'ordre des choses claires et simples qui 'sont toutes vraies' (IV, p. 32). Et cette 'assurance morale' qui échappe à la raison, relève entièrement du bon sens qui accepte que 'le sens de la vue ne nous assure pas moins de la vérité de ses objets que font ceux de l'odorat ou de l'ouïe' (IV, p. 36). Mais ce même bon sens qui ne rejette pas systématiquement la vérité qu'il peut y avoir dans les informations sensibles, élimine par contre tout ce qui n'est que fausses apparences. Et Descartes de remarquer alors: 'encore que nous voyions le soleil très clairement'—et cette vision distincte nous assure de son existence, tandis que la raison y est impuissante—

'nous ne devons pas juger pour cela qu'il ne soit que de la grandeur que nous le voyons' (IV, p. 38).

(B) L'imagination supplée la raison avec l'accord du bon sens

De même, le bon sens accepte que l'imagination seconde l'entendement lorsque les raisonnements s'avèrent insuffisants pour attester la vérité des choses. Ainsi, pour trancher cette question embarrassante : 'd'où sait-on que les pensées qui viennent en songe sont plutôt fausses que les autres, vu que souvent elles ne sont pas moins vives et expresses ?' (IV, p. 36), Descartes soutient qu'il faut 'présupposer' l'existence de Dieu (IV, pp. 36–7). Autrement dit, il est nécessaire de poser cette existence préalablement à titre d'hypothèse. Et de fait, c'est bien une hypothèse que propose Descartes, une imagination de l'esprit qui ne contrarie pas le bon sens, et non pas une preuve raisonnée, quand il affirme : 'toutes nos idées ou notions doivent avoir quelque fondement de vérité', et il y aurait de l'extravagance à en douter, 'car il ne serait pas possible que Dieu, qui est tout parfait et tout véritable, les eût mises en nous sans cela, et pour ce que nos raisonnements ne sont jamais si évidents ni si entiers pendant le sommeil que pendant la veille', ce que nos pensées 'ont de vérité doit infailliblement se rencontrer en celles que nous avons étant éveillés plutôt qu'en nos songes' (IV, p. 38). En proposant des hypothèses acceptées par le bon sens, l'imagination permet donc à la raison de prolonger sa chaîne de vérités déduites.

(C) Le bon sens accepte ce que la raison réprouve : les erreurs des sens et de l'imagination

Il arrive même que ce bon sens dont Descartes ne cesse de faire preuve et usage, ignore les interdits de la logique et contredise ses évidences pour accueillir, provisoirement, les erreurs des puissances trompeuses que sont la fantaisie et les sens. Afin de ne point demeurer 'irrésolu en [ses] actions' (III, p. 22), Descartes procède de la sorte, tandis que la raison le porte, momentanément, à 'penser que tout [est] faux' (IV, p. 31). Et c'est alors qu'il se forme 'une morale par provision' (III, p. 23). L'observation des mœurs l'a convaincu bien des fois, au cours de ses voyages, 'que c'est bien plus la coutume et l'exemple qui nous persuade, qu'aucune connaissance certaine' (II, p. 17), et cependant, il va écouter ces préjugés, suivre ces règles douteuses qui n'ont point de vérité, mais qui toutes ont pour base ce que l'aveuglement des passions et les inconséquences de l'imagination portent à croire sans examen. Instruit par l'expérience, Descartes déclare en effet : 'j'avais dès longtemps remarqué que pour les mœurs, il est besoin quelquefois de suivre des opinions qu'on sait être fort incertaines, tout de même que si elles étaient indubitables' (IV, p. 31). Et de cette constatation il fait une maxime que la raison réprouve, mais que le bon sens accepte comme une nécessité accordée à l'état présent de sa situation. Ainsi prenait-il un jour la décision suivante: 'être le plus ferme et le plus résolu en mes actions que je pourrais, et [. . .] ne suivre pas moins constamment les opinions les plus douteuses lorsque je m'y serais une fois déterminé, que si elles eussent été très assurées' (III, p. 24). Mais pourquoi aller jusqu'à suivre des règles dont la vérité est tout à fait incertaine? A cause qu'elles ont été 'reçues en pratique par les mieux sensés' (III, p. 23). Dans les circonstances où se trouvait Descartes, c'eût donc été 'commettre une grande faute contre le bon sens' (III, p. 24) que de rejeter ces préceptes moraux au nom de la raison qui en avait pourtant le droit. Et c'est ainsi que le moraliste, averti que 'les actions de la vie' ne souffrent 'aucun délai' (III, p. 24), se rendait temporairement à l'évidence trompeuse des sens et de l'imagination, et suivait les opinions 'les plus probables' faute de pouvoir 'discerner les plus vraies' (III, p. 25).

Conclusion

En dépit de la clarté recherchée par l'auteur, le *Discours de la Méthode* n'est pas un ouvrage qui se compose uniquement des vérités certaines dont seule la raison peut donner l'assurance, mais un traité dans lequel il est fait un usage prudent de ces choses imaginées ou senties qui, souvent, sont douteuses. C'est que Descartes a dû constater, à plusieurs reprises, que l'entendement humain a aussi ses faiblesses: les vérités révélées de la théologie le surpassent, et parfois même, il ne parvient pas à raisonner juste ou, plus généralement, à prouver la certitude de ce qui est conçu clairement et distinctement. Aussi, désireux de sortir d'un état permanent d'indétermination, de scepticisme et d'ignorance, le philosophe a-t-il suivi les propositions du bon sens lorsque la raison est tenue en échec, soit pour émettre des hypothèses proposées par l'imagination, soit pour retenir certaines informations des sens dont il y aurait de l'excès à vouloir douter. Et ces vérités-là sont permanentes, contrairement aux règles de la morale auxquelles le jugement n'a pas pris assez part pour qu'elles puissent être maintenues autrement que de façon provisoire. C'est donc dire que le bon sens cartésien n'accepte définitivement les suggestions de l'imagination et des sens qu'après un examen sévère qui, s'il ne prouve leur vérité, en donne du moins quelque assurance. Et cette présentation rigoureuse, logique, impeccable de ce qui n'est pas toujours évidence de la raison contribue, entre autres, à faire du *Discours de la Méthode* 'le chef-d'œuvre du trompe-l'œil' (p. VI).

4

'N'y ayant qu'une vérité de chaque chose, quiconque la trouve en sait autant qu'on en peut savoir.' (II, p. 21)

Introduction

Il était du propos de Descartes 'd'apprendre à distinguer le vrai d'avec le faux' (I, p. 11), afin d'atteindre à la connaissance certaine des choses. Un tel dessein implique alors que le vrai et le faux s'opposent systématiquement, ce qui revient à affirmer qu'il n'y a 'qu'une vérité de chaque chose', et que, s'il en est ainsi, 'quiconque la trouve en sait autant qu'on en peut savoir'. Or comment 'ce cavalier français', dont Péguy disait qu'il 'partit d'un si bon pas', est-il parvenu à conclure à l'unicité de la vérité ? Et en quoi se justifie l'optimisme dont il fait preuve en pensant accéder à une connaissance totale de cette vérité unique ? Bref, connaître une chose pour vraie et la connaître toute est-il à la mesure de l'homme ?

(I) Il n'y a qu'une vérité de chaque chose

Ce n'est qu'à la suite d'une réflexion raisonnée sur le monde que Descartes a eu la certitude qu'il n'y a 'qu'une vérité de chaque chose'. Ses premières expériences, son éducation, ses lectures, tout tendait à le convaincre, au contraire, de la pluralité des vérités d'une même chose. Et c'est l'illogisme fondamental de ces constatations qui, en s'opposant à l'intuition qu'il avait d'une vérité unique, lui fit prendre conscience qu'il ne pouvait y avoir plusieurs vérités, mais simplement une pluralité d'apparences de vérité.

(A) Pluralité des apparences de vérité

La philosophie, cette science de l'ensemble des connaissances humaines, suffit à prouver que les doctes se sont bornés, depuis toujours, à 'parler vraisemblablement de toutes choses' (I, p. 7), alors qu'il eût fallu en discourir véritablement. Tant que les philosophes croiront au vraisemblable au lieu de prouver le vrai, ils découvriront des apparences multiples de la vérité et non la vérité unique. Aussi Descartes, forcé de constater qu'il ne se 'trouve encore aucune chose dont on ne dispute' en philosophie, 'et par conséquent qui ne soit douteuse' (I, p. 9), est-il amené à tenir pour faux ce qui n'est qu'une succession de vraisemblances dont aucune n'est vraie : 'considérant combien il peut y avoir de diverses opinions touchant une même matière, qui soient soutenues par des gens doctes, sans qu'il y en puisse avoir jamais plus d'une seule qui soit vraie, je réputais presque pour faux tout ce qui n'était que vraisemblable' (I, pp. 9–10).

Examinant en quoi ces opinions émises par des esprits savants sont toutes diverses et incertaines, Descartes découvre que la faute est celle-même des sens qui trompent la raison au point qu'il n'y a 'aucune chose qui [soit] telle qu'ils nous la font imaginer' (IV, p. 31). C'est ainsi que l'homme voit l'apparence des choses et non leur réalité et qu'en particulier 'les astres ou autres corps fort éloignés nous paraissent beaucoup plus petits qu'ils ne sont' (IV, p. 38). Or ces mêmes sens qui nous incitent à recevoir en notre créance des choses qui ne sont qu'apparentes au lieu d'être réelles, nous amènent également à accepter qu'il y ait plusieurs apparences d'une seule vérité. Le soleil, selon qu'il est à l'horizon ou au zénith, paraît de couleur et de dimension diverses. Ainsi nos sens nous communiquent-ils plusieurs apparences d'un même objet que nous tenons pour autant de vérités. A l'exemple de quoi Descartes conclut que l'imagination et les sens sont la source de ces erreurs qui, trop souvent, parviennent à 'offusquer notre lumière naturelle, et nous rendre moins capables d'entendre raison' (I, p. 11).

Il est donc dans la nature de l'homme d'accueillir de 'fausses raisons' (II, p. 20) qui lui masquent la vérité unique. Mais si nous ne sommes pas infaillibles, du moins avons-nous quelque bon sens qui nous dicte 'que nos pensées ne [peuvent] être toutes vraies, à cause que nous ne sommes pas tout parfaits' (IV, p. 38). Convaincu qu'il est de nature imparfaite et qu'il ne peut être constamment assuré, l''homme de bon sens' (II, p. 13) va alors cesser de croire ce qu'il tient pour vraisemblable et rechercher, par delà la pluralité des apparences, l'unicité de la vérité. Et c'est alors qu'il doute.

(B) Le doute ou la recherche de la vérité par delà les apparences

Selon Descartes, en effet, le doute sélectif et volontaire est 'la vraie méthode pour parvenir à la connaissance de toutes les choses' (II, p. 17), car il ne vise point à affecter 'd'être toujours irrésolu' (III, p. 28) à la façon des sceptiques, mais à éliminer ces idées vraisemblables que les sens proposent d'une même réalité, à 'rejeter la terre mouvante et le sable pour trouver le roc ou l'argile' (III, p. 28), pour découvrir enfin la certitude. Aussi le principe fondamental de la méthode cartésienne est-il 'de ne recevoir jamais aucune chose pour vraie que je ne la [connaisse] évidemment être telle: c'est-à-dire d'éviter soigneusement la précipitation et la prévention, et de ne comprendre rien de plus en mes jugements que ce qui se [présentera] si clairement et si distinctement à mon esprit, que je n'[aie] aucune occasion de le mettre en doute' (II, pp. 18–19). Et cette vérité dont on ne peut douter apparaît, selon l'image même employée par Descartes, telle un 'roc,' telle un tout indivisible et par conséquent unique.

(c) Unicité de la vérité

La preuve de cette unicité de la vérité, Descartes la trouve grâce à son esprit formé très tôt aux mathématiques. 'Instruit en l'arithmétique' dès l'enfance, il sait qu' 'ayant fait une addition suivant ses règles' il 'se peut assurer d'avoir trouvé touchant la somme qu'il examinait, tout ce que l'esprit humain saurait trouver' (II, p. 21). De même, 'la méthode qui enseigne à suivre le vrai ordre', c'est-à-dire celle qui consiste à douter systématiquement jusqu'à ne plus pouvoir douter et découvrir alors la vérité, 'contient tout ce qui donne de la certitude aux règles d'arithmétique' (II, p. 21). Et de la même façon qu'il ne peut y avoir qu'un seul résultat juste d'une addition, il n'y a qu'une seule vérité d'une chose. Et c'est bien selon ce critère de l'unique que Descartes définit la vérité, tout comme un géomètre donnerait la seule définition qui soit d'un triangle: 'je considérai en général ce qui est requis à UNE proposition pour être VRAIE et CERTAINE [. . .], et je jugeai que je pouvais prendre pour règle générale que les choses que nous concevons fort CLAIREMENT et fort DISTINCTEMENT sont toutes vraies' (IV, p. 32). Et cette conception claire et distincte de la vérité unique s'oppose, précisément, à la croyance confuse que donne la multiplicité des apparences douteuses.

(II) Une connaissance totale

Après avoir établi ainsi l'unicité de la vérité en procédant à la manière des mathématiciens qui seuls 'ont pu trouver quelques démonstrations, c'est-à-dire quelques raisons certaines et évidentes' (II, p. 19), Descartes cherche à prouver que la découverte de cette vérité qui est une donne à l'homme une connaissance totale. Et c'est alors qu'il quitte l'arithmétique pour la métaphysique.

(A) Dieu, garant de la vérité unique

Dieu, en effet, est le seul garant de la vérité unique des choses. C'est lui qui a 'donné à chacun quelque lumière pour discerner le vrai d'avec le faux' (III, p. 27), et c'est lui encore qui nous assure que cette chose unique, conçue si clairement qu'elle est indubitable, est bien la seule vérité, car 'si nous ne savions point que tout ce qui est en nous de réel et de vrai vient d'un être parfait et infini, pour claires et distinctes que fussent nos idées, nous n'aurions aucune raison qui nous assurât qu'elles eussent la perfection d'être vraies' (IV, p. 37). Et il est nécessaire d'avoir recours à Dieu, étant donné que les mathématiques sont insuffisantes à assurer Descartes, avec certitude, de la réalité des choses et de leur vérité. Lui qui s'était 'proposé l'objet des géomètres' (IV, p. 34) remarque effectivement: 'je voyais bien que, supposant un triangle, il fallait que ses trois angles fussent égaux à deux droits, mais je ne voyais rien pour cela qui m'assurât qu'il y eût au monde aucun triangle' (IV, p. 35); au lieu que Dieu donne la certitude absolue de la vérité.

(B) Or Dieu est tout connaissant

Or Dieu est un 'Etre parfait' (IV, p. 33) et sa perfection même le rend 'tout connaissant' (IV, p. 34). Et de ce fait, lui qui garantit l'unicité de la vérité que l'homme peut avoir des choses, rend alors cette vérité parfaite, absolue et totale.

(C) Donc, trouver la vérité garantie par Dieu, c'est tout connaître

Trouver la vérité unique dont Dieu est la caution, c'est donc atteindre à la connaissance intégrale, c'est en savoir 'autant qu'on en peut savoir', autant que Dieu lui-même. Et c'est ainsi qu'assuré dans sa démarche, Descartes pouvait déclarer avec tout l'optimisme que donne la certitude de comprendre parfaitement: 'car, suivant les raisonnements que je viens de faire pour connaître la nature de Dieu, [. . .] je n'avais qu'à considérer, de toutes les choses dont je trouvais en moi quelque idée, si c'était perfection ou non de les posséder; et j'étais assuré qu'aucune de celles qui marquaient quelque imperfection n'était en lui, mais que toutes les autres y étaient' (IV, p. 34). Ainsi, selon Descartes, il est possible d'atteindre à une connaissance parfaite, grâce à Dieu, et parce que la vérité du monde est unique comme l'est celle des mathématiques. Serait-ce donc à dire que la connaissance humaine de la vérité est illimitée?

(III) Les limites de la connaissance de la vérité

En fait, la conception cartésienne d'une vérité unique et totale repose, non pas sur des propositions qui auraient la certitude que confèrent les démonstrations, mais sur de simples intuitions tenues pour vraies.

(A) Les idées claires et simples sont des axiomes

Ainsi, l'idée claire, simple et indubitable qui donne l'assurance qu'il n'y a 'qu'une vérité de chaque chose' tient de l'axiome, c'est-à-dire d'un principe indémontrable qui paraît évident, et non point de la preuve. Et c'est bien ainsi que Descartes, considérant 'ce qui est requis à une proposition pour être vraie et certaine', définit la notion de vérité:

'ayant remarqué qu'il n'y a rien du tout en ceci, *je pense, donc je suis*, qui m'assure que je dis la vérité, sinon que je vois très clairement que pour penser il faut être, je jugeai que je pouvais prendre pour règle générale que les choses que nous concevons fort clairement et fort distinctement sont toutes vraies' (IV, p. 32). Ce '*Ego cogito, ergo sum, sive existo*' qui l'assure si fermement de la vérité n'est pas, en dépit de sa forme déductive, le résultat d'un raisonnement logique. L'*ergo* latin, ou le *donc* français, est simplement l'affirmation catégorique d'une intuition, d'une hypothèse que la raison est incapable de prouver, mais que le bon sens, cette 'puissance de bien juger et distinguer le vrai d'avec le faux' (I, p. 3), retient comme une vérité qui semble incontestable. Ainsi, le rejet 'comme absolument faux' de tout ce en quoi Descartes peut 'imaginer le moindre doute' (IV, p. 31), afin de ne garder que des propositions claires et indubitables, ne repose pas sur une connaissance certaine et raisonnée des choses, mais sur une intuition probable du bon sens.

(B) L'existence de Dieu est un postulat

De même, l'existence de Dieu, nécessaire à la certitude que la vérité est unique et peut être connue dans sa totalité, n'est pas établie par des 'raisonnements' (IV, p. 34) logiques irréfutables, mais posée par Descartes comme un postulat qui lui semble légitime et fondé. Car l'auteur du *Discours de la Méthode* ne 'prouve' pas l'existence de Dieu et de l'âme humaine, qui sont les fondements de sa Métaphysique (IV, p. 30), contrairement à ses affirmations. Tout au plus constate-t-il la probabilité évidente de l'existence de Dieu: 'faisant réflexion sur ce que je doutais et que par conséquent mon être n'était pas tout parfait, car je voyais clairement que c'était une plus grande perfection de connaître que de douter, je m'avisai de chercher d'où j'avais appris à penser à quelque chose de plus parfait que je n'étais; et je connus EVIDEMMENT que ce devait être de quelque nature qui fût en effet plus parfaite' (IV, pp. 32–3). Et cette idée n'est pas une rêverie de l'imagination, poursuit Descartes, 'car, de la tenir du néant, c'était chose MANIFESTEMENT impossible' (IV, p. 33). Le style dément le philosophe. Il s'agit d'évidence et non pas de démonstration probante, et ces 'évidemment' et 'manifestement' sont des adverbes, non de logique, mais de bon sens.

(C) Imperfection inhérente à la nature de l'homme

Ainsi l'aptitude de Descartes à connaître la vérité est limitée dans la mesure où le critère qu'il utilise pour discerner le vrai du faux, ainsi que le garant de ce qu'il tient pour véritable ne peuvent être établis, ni l'un ni l'autre, par une preuve qui serait le résultat d'un raisonnement logique, mais relèvent tous deux d'une intuition acceptable. Faut-il alors en conclure que Descartes est retombé dans le vraisemblable au lieu d'atteindre le vrai, et que sa démarche suit la courbe d'un cercle vicieux ? Non point. Son système, dont on a vu qu'il tient beaucoup des mathématiques, n'est pas moins certain que cette discipline qui, comme toute science, part d'axiomes et de postulats qui lui servent de fondements. N'étant 'pas tout parfait' (IV, p. 32), l'homme ne peut avoir une connaissance parfaite de toutes choses et doit parfois se satisfaire d'évidences au lieu de preuves, et les accepter comme des vérités bien qu'il soit impuissant à les démontrer. Son être comportant 'quelque perfection' (IV, p. 33), il ne lui est pas interdit cependant d'accéder à la connaissance des choses, mais ce mélange de perfections et d'imperfections, inhérent à la nature humaine, fait que la découverte cartésienne de la vérité procède à la fois par démonstrations de la raison et intuitions du bon sens.

Conclusion

En affirmant que 'n'y ayant qu'une vérité de chaque chose, quiconque la trouve en sait autant qu'on en peut savoir', Descartes exprime sa conviction que la connaissance certaine et universelle est à sa portée. Or c'est en établissant un rapport étroit entre le monde et les mathématiques que le philosophe peut montrer que la vérité est une ; et c'est aussi parce que Dieu, être tout parfait, est à l'origine de toute vérité que la trouver revient à embrasser la connaissance absolue. Ainsi, la conception cartésienne de la vérité est-elle le résultat d'une réflexion de mathématicien qui se double d'un métaphysicien : de celui-là elle a hérité la rigueur des preuves et de celui-ci l'évidence des intuitions, car les démonstrations de la raison se font à partir d'axiomes posés par le bon sens chez l'homme qui n'est point 'tout connaissant' à l'égal de Dieu, mais de nature pas toute parfaite.

5

'La seule résolution de se défaire de toutes les opinions qu'on a reçues auparavant en sa créance, n'est pas un exemple que chacun doive suivre.' (II, p. 16)

Introduction

De la part de Descartes, qui est resté dans l'histoire comme le premier vulgarisateur de la philosophie, on ne s'attend guère à des remarques qui limiteraient l'exercice de la pensée. Nous nous imaginons le *Discours de la Méthode* comme une invitation à tous les honnêtes gens, et pas seulement aux spécialistes qui ont étudié le latin, à user par eux-mêmes 'de leur raison naturelle toute pure' (VI, p. 73). Aussi, nous sommes fort surpris d'apprendre que 'la seule résolution de se défaire de toutes les opinions qu'on a reçues auparavant en sa créance, n'est pas un exemple que chacun doive suivre' (II, p. 16). Si Descartes refuse à certains le droit de douter, ne leur interdit-il pas en même temps la pratique de la philosophie, ou tout du moins de sa philosophie, puisque tout le mouvement de la pensée cartésienne commence par ce doute? Si le doute n'est pas universel, comment la méthode qui lui fait suite pourrait-elle l'être? En apparence, Descartes semble affirmer ici un principe qui est en contradiction avec tout le reste de son œuvre. Nous examinerons tour à tour la nature, puis la signification de ce conflit.

(I) Une philosophie universelle

(A) Universalité de la raison

Dès la première ligne, le *Discours de la Méthode* affirme que la vocation philosophique appartient à tout le monde. 'Le bon sens est la chose du monde la mieux partagée' (I, p. 3), ce qui signifie que chaque homme a reçu l'équipement fondamental du penseur, 'la puissance de bien juger et distinguer le vrai d'avec le faux' (*Id.*). Cette faculté 'est naturellement égale en tous les hommes' (*Id.*). Il existe des inégalités entre les intellects, et certains peuvent n'avoir pas 'la pensée aussi prompte, ou l'imagination aussi nette et distincte, ou la mémoire aussi ample ou aussi présente, que quelques autres' (I, p. 4), mais, 'la raison ou le sens' (*Id.*), parce qu'elle est un attribut distinctif de l'homme et le 'distingue des bêtes' (*Id.*), 'est tout entière en un chacun' (*Id.*), et on ne pourrait pas trouver d'hommes plus ou moins raisonnables, de même qu'on n'en pourrait trouver de plus ou moins humains.

(B) Egalité devant la méthode

Tout les hommes sont donc appelés à philosopher. Mais cette vocation est peut-être toute théorique. Il se pourrait que la difficulté de la tâche écarte de l'entreprise tous ceux qui, outre leur part naturelle de raison n'ont pas reçu les dons les plus brillants. Descartes le pensait, et l'a dit dans ses lettres. Dans le *Discours*, cependant, il néglige entièrement ce problème. Les mises en garde qu'il nous donne concernent les erreurs méthodologiques et non les faiblesses de l'intelligence. Il semblerait même qu'il veuille insister sur la facilité avec laquelle, d'étape en étape, un esprit moyen pourra résoudre toutes sortes de problèmes. Grâce à la simplicité de la démarche logique, il n'est plus si important 'd'avoir l'esprit bon' (*Id.*), et il devient aisé 'de l'appliquer bien' (*Id.*). Il fait entièrement confiance à ces 'semences de vérités qui sont naturellement en nos âmes' (VI, p. 60). Les moins doués ont même une espèce d'avantage sur les sujets exceptionnels: 'les plus grandes âmes sont capables des plus grands vices aussi bien que des plus grandes vertus; et ceux qui ne marchent que fort lentement peuvent avancer beaucoup davantage s'ils suivent toujours le droit chemin, que ne font ceux qui courent et qui s'en éloignent' (I, p. 4). Descartes lui-même peut ainsi feindre de se ranger parmi ceux qui ne brillent guère. 'Pour moi, je n'ai jamais présumé que mon esprit fût en rien plus parfait que ceux du commun' (*Id.*), nous dit-il, montrant que l'exercice de la philsophie ne doit pas être réservé à une élite.

(C) Méfiance à l'égard de l'autorité en philosophie

Nous devons raisonner par nous-mêmes et nous méfier de tous ceux qui voudraient nous imposer leurs jugements. Descartes méprise les conseilleurs et les guides. 'Ceux qui se mêlent de donner des préceptes' (I, p. 5) n'ont ni sa sympathie ni son estime, et il ne sera pas l'un d'entre eux. Toujours au nom de l'égalité des jugements, Descartes refuse de s'imposer à nous, tout aussi fermement qu'il refuse de se laisser endoctriner par autrui. Il annonce fièrement comment il a rejeté l'enseignement de toutes les écoles auxquelles il avait été formé. Même 'les sciences des livres' (II, p. 13) n'exerceront pas sur son jugement une influence indue, car elles 'ne sont point si approchantes de la vérité que les simples raisonnements que peut faire naturellement un homme de bon sens touchant les choses qui se présentent' (*Id.*). Il est donc convaincu de la nécessité de penser et d'agir pour lui-même: 'je ne pouvais choisir personne dont les opinions me semblassent devoir être préférées à celles des autres, et je me trouvai comme contraint d'entreprendre moi-même de me conduire' (II, p. 17). A contre-cœur semble-t-il, mais sans hésiter, il va entreprendre de douter de tout, car c'est là que commence l'intinéraire de la pensée solitaire.

(II) Les périls du doute

Après avoir montré que la vocation philosophique nous appartient tout aussi légitimement qu'à lui-même, Descartes aurait pu nous recommander le doute, voire nous le présenter comme un devoir. Au contraire, nous sommes étonnés de le découvrir peu soucieux d'être imité.

(A) Descartes refuse de donner un exemple

Non seulement il nous laisse libres de ne pas l'accompagner sur sa route, mais, dans d'autres passages, il va jusqu'à dire que sa philosophie n'est pas susceptible de se prêter à une application généralisée: 'jamais mon dessein ne s'est étendu plus avant que de tâcher à réformer mes propres pensées' (II, p. 15), nous rappelle-t-il, et il ironise aux dépens de ceux qui veulent à tout prix répandre leurs idées: 'bien que mes spéculations me plussent fort, j'ai cru que les autres en avaient aussi qui leur plaisaient peut-être davantage' (VI, p. 58). Il serait vain d'essayer de dissimuler le conflit très véritable qui se révèle ici. Il vaut mieux le comprendre que le nier. Examinons donc les raisons qui poussent Descartes à proclamer alternativement un cartésianisme pour tous et un cartésianisme réservé à une élite.

(B) Descartes conservateur

La première raison des réticenes de Descartes est de nature politique. Il a peur que sa philosophie, et en particulier que le doute méthodique, n'inspire à certains la mauvaise idée d'appliquer le cartésianisme au domaine social. Il apparaitrait alors comme un réformateur, et il préfère renoncer à certaines audaces plutôt que d'encourir ce reproche. Non par peur de se retrouver dans l'opposition, mais parce qu'il ne croit pas à la réforme, il répète qu'il ne saurait 'aucunement approuver ces humeurs brouillonnes et inquiètes, qui, n'étant appelées ni par leur naissance ni par leur fortune au maniement des affaires publiques, ne laissent pas d'y faire toujours en idée quelque nouvelle réformation' (II, p. 15). Il se résoudrait à ne rien publier pour ne pas se voir 'soupçonner de cette folie' (*Id.*). Fondamentalement, il pense comme Montaigne et Pascal que le *statu quo* est préférable aux bouleversements, car la réforme s'accomplit le plus souvent dans le chaos: 'pour ce qui touche les mœurs, chacun abonde si fort en son sens, qu'il se pourrait trouver autant de réformateurs que de têtes, s'il était permis à d'autres qu'à ceux que Dieu a établis pour souverains sur ses peuples, ou bien auxquels il a donné assez de grâce et de zèle pour être prophètes, d'entreprendre d'y rien changer' (VI, p. 58). Le cartésianisme consiste à juger de tout par soi-même, mais Descartes veut faire en sorte qu'il ne soit pas possible d'introduire ce principe dans le domaine politique.

(c) Opposition au scepticisme

La seconde raison est purement philosophique. Le doute risque de précipiter les esprits les moins préparés dans un scepticisme dont ils ne sauront sortir. Le doute cartésien n'emprunte rien aux 'sceptiques, qui ne doutent que pour douter et affectent d'être toujours irrésolus' (III, p. 28). C'est un doute méthodique qui, dès le départ, avait pour but de se détruire lui-même en mettant au jour la vérité du *Cogito*, 'si ferme et si assurée, que toutes les plus extravagantes suppositions des sceptiques n'étaient pas capables de l'ébranler' (IV, p. 31). Le spécialiste ne s'y trompera pas, et pourra même, dans les *Méditations*, suivre sans se fourvoyer la démarche du doute hyperbolique, dans laquelle Descartes renforce le doute systématique en imaginant par surcroît que Dieu est un malin génie désirant nous tromper. Mais dans le *Discours*, l'hypothèse du malin génie est omise. Descartes ne fait pas tout à fait confiance au grand public. Il craint que certains lecteurs, 'se croyant plus habiles qu'ils ne sont' (II, p. 16), ne quittent le chemin de la pensée droite, et, par faute de méthode et de patience, ne puissent jamais le retrouver. Ils 'demeureraient égarés toute leur vie' (*Id.*). Quant aux autres, Descartes n'a nul besoin de leur déconseiller le doute, car ils ont eux-mêmes trop peur de s'y jeter. Ce sont les timides—Descartes a la courtoisie de les appeler les modestes—qu'il faut encourager à 'bien plutôt se contenter de suivre les opinions [des . . .] autres, qu'en chercher eux-mêmes de meilleures' (*Id.*). Il est admis que certains sont 'moins capables de distinguer le vrai d'avec le faux' (*Id.*), et donc que philosopher, et surtout douter, n'est pas pour tout le monde.

(III) Le vrai visage de Descartes

Cette méfiance est-elle justifiée ? On comprend que Descartes s'irrite des faux-habiles qui, par manque de subtilité, travestissent sa pensée et donnent des armes à ses adversaires. Mais pourquoi faire l'apologie de la pusillanimité ? Pourquoi conseiller de suivre l'opinion d'autrui dans la seconde partie du *Discours* quand il a consacré la première partie à établir la supériorité de l'opinion individuelle ? Un examen approfondi n'a pas vu la contradiction se résoudre, mais peut-être se renforcer. De ces deux attitudes opposées, essayons de déterminer laquelle correspond à la personnalité véritable de Descartes.

(A) Descartes libre penseur ?

Certains ont vu en Descartes un ennemi de l'Eglise. Ils sont plus sensibles aux audaces qu'aux prudences. Mais surtout, ils remarquent l'existence d'un conflit entre le cartésianisme et l'autorité ecclésiastique, en particulier dans le domaine des théories physiques. Certes, Descartes est irrité par ce qu'il considère comme une persécution. A cause de Rome, il ne se sent pas libre de dire ce qu'il voudrait. Cela pourrait faire croire à une certaine hostilité. Mais de ce que l'Eglise est visiblement hostile à Descartes, on ne peut pas conclure que Descartes soit hostile à l'Eglise. L'embarras qu'il manifeste vis-à-vis d'elle, la façon dont il la flatte pour essayer de se la concilier, n'indique pas nécessairement qu'il se sente coupable. Il est peut-être fâché de se voir suspect aux yeux de celle dont il voudrait faire une alliée.

(B) Descartes utile à l'Eglise ?

C'est cet aspect que d'autres critiques mettent volontiers en relief. Descartes est chrétien, et, de plus, il estime que l'Eglise aurait à gagner dans le cartésianisme. Elle devrait faciliter son triomphe au lieu de s'y opposer. Le vrai adversaire de Descartes est le scepticisme. Le *Cogito* doit le mettre en déroute. En outre, les libres penseurs trouveront une démonstration de l'existence de Dieu au cœur de la métaphysique cartésienne. Descartes combat les mêmes ennemis que l'Eglise et, à ce titre, devrait être son allié. Qu'il en ait eu ou non conscience, et il est difficile de le déterminer avec certitude, cela expliquerait les adoucissements qu'il apporte à sa pensée, ainsi que sa tristesse grandissante à voir que la réconciliation ne parvient pas à se faire.

(C) Nouveau dogmatisme

Le doute cartésien n'est pas une invitation à penser chacun pour soi, une ouverture sur une libre pensée, mais un prétexte pour rétablir un dogmatisme. Descartes revendique ses droits de penseur autonome contre la scolastique et contre Aristote, mais c'est pour instaurer aussitôt un nouveau dogmatisme à la place de l'ancien. Le doute était bon pour l'usage personnel de Descartes, il était nécessaire pour déraciner l'erreur et trouver le chemin de la vérité. Mais dès lors que Descartes s'est considérablement avancé sur ce chemin, nous avons tout intérêt à le rejoindre, plutôt que de prendre à notre tour la route à son début et rester fort loin derrière lui. Omettre l'étape du doute, semble-t-il dire, faire confiance au cartésianisme, parce qu'il est vrai, tournera à notre avantage. Dans cette perspective, Descartes apparaitrait comme un nouvel Aristote, et, de même que l'aristotélisme avait, grâce à l'appui de l'Eglise, dominé la pensée occidentale pendant plusieurs siècles, le cartésianisme, avec le même appui, pourrait devenir une néo-scolastique. Nous comprenons donc que le candidat au titre de fondateur de la nouvelle philosophie officielle ne tienne pas à encourager les libres penseurs.

Conclusion

Ne nous étonnons pas de voir Descartes conseiller à la majorité d'éviter le doute. Il s'agit là d'une régression dans sa pensée, puisque la raison universelle est également partagée entre les hommes, mais nous sommes accoutumés à trouver chez lui les audaces suivies de timidités. Ce que nous ne devons pas faire, cependant, c'est attribuer de fausses raisons à des contradictions comme celle-ci. Il ne faut pas faire de Descartes un timoré ou un hypocrite. S'il ménage l'Eglise et transige sur la question du doute, n'y voyons ni peur ni tactique. C'est que ces ménagements et ces compromis reflètent son message philosophique. Ceux qui n'ont pas su voir cela, et ont fait de notre auteur un dissimulé, avaient de lui une idée fausse. Au vrai visage du philosophe ils substituaient inconsciemment le stéréotype d'un Descartes ancêtre du matérialisme moderne, d'un révolutionnaire qui n'a pas existé. C'est un conservateur chrétien qui a écrit le *Discours de la Méthode*.

François Mouret DESCARTES

6

'Il était du dessein de Descartes de nous faire entendre soi-même [. . .]. *Il s'agissait que nous trouvions en nous ce qu'il trouvait en soi.*' (P. Valéry)

Introduction

Le *Discours de la Méthode* apparaît, tour à tour, comme une biographie, un traité de morale, de métaphysique et de physique, bref comme l'ouvrage d'un philosophe qui expose de façon succincte la somme de ce qu'il pense savoir 'touchant la nature des choses' (V, p. 40). Or cet opuscule, écrit en langue vulgaire, s'adressait à l'honnête homme plutôt qu'au pédant de Sorbonne, ce qui révèle la volonté de l'auteur d'être compris d'un large public afin que ses découvertes se répandent. Et trois siècles plus tard, P. Valéry commente ainsi la subtilité de l'attitude pédagogique de celui qui avait lu Montaigne et savait, en conséquence, qu'il ne convient guère 'de dire ce qu'il faut faire au monde' (I, xxviii, p. 25): 'Il était du dessein de Descartes de nous faire entendre soi-même [. . .]. *Il s'agissait que nous trouvions en nous ce qu'il trouvait en soi*'. Selon cette interprétation, Descartes n'aurait eu d'autre soin que de faire comprendre sa pensée au lecteur sans jamais tenter d'imposer quoi que ce fût avec autorité. N'a-t-il pas cependant cherché à instruire de façon impérative, à donner des leçons tel un maître qui se fait fort d'avoir enfin trouvé la vérité? Comment Descartes, tourné vers soi, parvient-il donc à faire accepter ses connaissances à autrui et à les faire partager?

(I) Descartes se fait entendre soi-même

Dès le début de son discours, Descartes avertit qu'il n'entend s'occuper que de sa propre pensée, autrement dit, qu'il est soi-même la matière d'un livre qui offre 'quelques exemples qu'on peut imiter' et 'plusieurs autres qu'on aura raison de ne pas suivre' (I, p. 5). C'est au lecteur de décider; Descartes refuse de le guider, tout au plus le traite-t-il comme un spectateur auquel il se montrerait et expliquerait son être pensant, sans autre but que d'être compris.

(A) Descartes est soi-même la matière de son livre

Et de fait, cet ouvrage écrit à la première personne ne relate pas l'histoire du développement de l'esprit humain en général, mais celle d'une pensée individuelle. Descartes insiste sur ce point et justifie son entreprise en fonction de ce qu'elle a d'unique et de particulier. Ainsi déclare-t-il: 'je serai bien aise de faire voir en ce discours quels sont les chemins que j'ai suivis, et d'y représenter ma vie comme un tableau' (I, p. 5). C'est donc de sa personne uniquement qu'il a dessein de parler, et le meilleur de son être est tout entier dans ce dialogue qu'il poursuit avec soi-même, certain hiver, alors qu'il demeure 'tout le jour enfermé seul dans un poêle', ayant de la sorte 'tout le loisir de [s]'entretenir de [ses] pensées' (II, p. 12). Et les résultats de ses réflexions personnelles sont les principes de sa 'méthode pour bien conduire sa raison' (I, p. 3) qu'il énonce dans le *Discours*. L'ouvrage apparaît donc comme l'exposé des distinctions que lui, Descartes, a appris à faire entre le vrai et le faux, non pas pour diriger le monde, mais, précise-t-il, 'pour voir clair en [ses] actions' (I, p. 11).

(B) Le refus d'enseigner

Tout occupé de soi, et point de son lecteur, Descartes fais figure de maître sans disciple qui refuse d'instruire. Et il se défend de vouloir entraîner autrui à sa suite, lui qui proteste à chaque page: 'jamais mon dessein ne s'est étendu plut avant que de tâcher à réformer mes propres pensées, et de bâtir dans un fonds qui est tout à moi' (II, p. 15) ou n'a été d'enseigner 'la méthode que chacun doit suivre pour bien conduire sa raison, mais seulement de faire voir en quelle sorte j'ai tâché de conduire la mienne' (I, p. 5). D'ailleurs les conclusions auxquelles il aboutit ne sont pas toujours définitives et n'ont d'intérêt que pour lui, à un moment déterminé de son existence. Ainsi, les 'règles de la morale que l'auteur a tirée de cette méthode' (III, p. 22) sont sans valeur universelle, et s'il les cite, c'est uniquement pour qu'on comprenne la marche qu'il a suivie au cours de l'expérience intellectuelle dont il fait la relation, comme il prend soin de le préciser: 'afin que je ne demeurasse point irrésolu en mes actions, pendant que la raison m'obligerait de l'être en mes jugements, et que je ne laissasse pas de vivre dès lors le plus heureusement que je pourrais, je me formai une morale par provision qui ne consistait qu'en trois ou quatre maximes dont je veux bien vous faire part' (III, pp. 22–3), à titre indicatif. Descartes qui se savait 'sujet à faillir autant qu'aucun autre' (IV, p. 31) décidait donc de ne jamais conseiller, car 'ceux qui se mêlent de donner des préceptes se doivent estimer plus habiles que ceux auxquels il les donnent; et s'ils manquent en la moindre chose, ils en sont blâmables' (I, p. 5).

(C) Le désir d'être compris

Pour éviter tout blâme, Descartes refuse d'enseigner les hommes et se borne à parler de soi. Toutefois, il désirait être compris et ne pouvait, en conséquence, ignorer autrui entièrement. Aussi s'attache-t-il, en écrivant ce livre dont il est la matière, à 'nous faire entendre soi-même'. C'est pourquoi il introduit de longs passages autobiographiques qui ont pour fonction d'expliquer les raisons de sa recherche assidue de la vérité et de replacer dans le temps l'histoire du développement de son esprit. Et s'il narre en français, plutôt qu'en latin, c'est toujours par souci de se faire lire plus aisément, c'est, poursuit-il, 'à cause que j'espère que ceux qui ne se servent que de leur raison naturelle toute pure jugeront mieux de mes opinions que ceux qui ne croient qu'aux livres anciens' (VI, p. 73). Enfin, l'auteur qui cherche à s'exprimer si clairement et distinctement qu'on ne puisse se méprendre sur son ouvrage, c'est-à-dire sur lui-même, prêtera une oreille attentive au 'bruit commun' qu'on fera en lisant le *Discours de la Méthode*, et tirera instruction des 'opinions qu'on en aura' (I, p. 5), montrant ainsi son désir d'être compris de chacun et son espoir qu'autrui, par des remarques, l'aide à se mieux entendre soi-même.

Par cette persistance à ne parler que de son être—le seul qu'il connaisse avec quelque degré de certitude—et à ne se mêler point de diriger les autres, Descartes rappelle Montaigne. Mais tandis que son maître restait sceptique et se sentait inapte à donner des conseils, lui est assuré d'avoir trouvé la vérité. Et l'importance d'une telle découverte ne l'incite-t-elle pas alors à juger qu'il lui appartient d'éclairer le monde et de le guider vers la lumière?

(II) Descartes enseigne autrui

Il est vrai, en effet, que Descartes passe insensiblement de 'je' à 'nous', associant autrui à son expérience qui perd alors tout caractère particulier pour devenir générale. Et c'est ainsi que parlant de soi, il discourt en fait de l'homme universel, et que, cherchant à guider sa raison et sa conduite, il se donne, et nous donne de surcroît, des préceptes qu'il faut observer.

(A) Un but pédagogique

En dépit de ses affirmations réitérées de ne vouloir traiter que de matières qui le concernent seul, Descartes a donc poursuivi un but pédagogique. Et pour que le lecteur soit amené, sans y prendre garde, à partager les idées qui sont exprimées dans les diverses parties du *Discours de la Méthode*, le philosophe a soin de présenter cet écrit 'comme une fable'

(I, p. 5), ce qui révèle clairement sa volonté d'instruire. Mais cet ancien élève d'un collège de jésuites est habile dans l'art d'enseigner, il en sait la pratique et comment convaincre sans forcer qui l'écoute : il divertit par un propos dont la clarté des arguments séduit l'esprit, si bien qu'au moment venu d'entendre la moralité et d'en accepter le contenu, le lecteur convaincu d'avance ne fait pas la moindre résistance. Ainsi Descartes, tout en parlant de soi, nous fait croire ce qu'il affirme, quand au terme de l'histoire des développements de sa pensée il conclut par l'énoncé des principes qu'il a choisi d'oberver.

(B) Descartes donne des conseils

Mais alors qu'en écrivant : 'conduire par ordre mes pensées, en commençant par les objets les plus simples et les plus aisés à connaître, pour monter peu à peu comme par degrés jusqu'à la connaissance des plus composés, et supposant même de l'ordre entre ceux qui ne se précèdent point naturellement les uns les autres' (II, p. 19), Descartes présente de façon personnelle une vérité générale qui le met seul en cause, il est d'autres préceptes qu'il émet en s'adressant directement à nous et qu'il réserve à notre usage. Et cela chaque fois qu'il a le sentiment que sa connaissance des choses est telle que lui seul peut nous retenir de commettre des erreurs répétées sur le monde. C'est ainsi que s'expliquent ces phrases de ton impérieux écrites, non plus à la première personne du singulier, mais à celle du pluriel de façon à ce que nous tous soyons impliqués, bon gré mal gré, dans une déclaration dont on ne sait plus si elle est de l'auteur ou du lecteur : 'car enfin, soit que nous veillions, soit que nous dormions, nous ne nous devons jamais laisser persuader qu'à l'évidence de notre raison' (IV, p. 38).

(C) Descartes impose une leçon

Et Descartes qui ne voulait 'conseiller à personne de l'imiter' (II, p. 15), va même jusqu'à imposer une leçon à son lecteur docile. C'est dans la cinquième partie de son discours, alors qu'il devient professeur de physique et fait un exposé de tout ce qu'il pense savoir et pouvoir expliquer. Ne laissant, en effet, aucun doute sur son but didactique, il déclare, avec autorité : 'je veux mettre ici l'explication du mouvement du cœur et des artères, qui étant le premier et le plus général qu'on observe dans les animaux, on jugera facilement de lui ce qu'on doit penser de tous les autres' (V, p. 44). Et tel un pédagogue, il a soin que chacun le comprenne. Aussi prend-il la précaution de conseiller son auditoire pour être suivi plus aisément dans son propos : 'afin qu'on ait moins de difficulté à entendre' ce qu'il dira, il voudrait 'que ceux qui ne sont point versés en l'anatomie prissent la peine', avant que de lire, 'de faire couper devant eux le cœur de quelque grand animal' (V, pp. 44–5). Le dessein de Descartes, en écrivant ces pages, était donc de communiquer et de présenter comme indubitable le résultat de ses réflexions, et pour y parvenir, il ne cherche pas la subtilité des fables, ou le tour stylistique qui lui permet d'associer autrui à ses déclarations, mais fait un véritable cours. Et alors il affirme au lieu de chercher à convaincre.

Or ce maître qui veut de la sorte conseiller et instruire, savait par ailleurs la vanité de vouloir régler la conduite et convaincre l'esprit d'un autre que soi. L'expérience lui avait enseigné qu'au sortir de l'école on se trouve 'embarrassé de tant de doutes et d'erreurs' (I, p. 6) qu'il ne reste plus qu'à rejeter comme faux tout ce qu'on a appris et à tout remettre en question, à devenir soi-même élève et précepteur de façon à ne conserver que ce qu'on tient personnellement pour vrai. Aussi, Descartes apparaît-il comme un philosophe dont l'exemple fait que les lecteurs du *Discours de la Méthode* sont amenés, à leur tour, à douter de tout—voire des affirmations autoritaires de l'auteur—afin de ne recevoir pour véritable que ce qu'ils découvrent comme tel en eux. Et c'est ce message cartésien, adressé à tout individu libre de reconquérir la vérité, qu'entendait et que prisait Paul Valéry.

(III) Descartes laisse à chacun le soin de découvrir en soi ce qu'il trouvait en lui.

Descartes, en effet, a laissé à chacun le soin de trouver en soi ce qu'il trouvait en lui, conformément à l'idée qu'il se faisait des aptitudes de tout homme à penser avec bon sens, et à pouvoir juger avec esprit critique des opinions émises par autrui.

(A) La raison est égale chez tous

C'est ainsi que pour le philosophe, la diversité de nos jugements 'ne vient pas de ce que les uns sont plus raisonnables que les autres, mais seulement de ce que nous conduisons nos pensées par diverses voies et ne considérons pas les mêmes choses' (I, p. 3). Par conséquent, il n'y a pas lieu de douter que le bon sens ne soit 'la chose du monde la mieux partagée' et que la raison ne soit 'naturellement égale en tous les hommes' (I, p. 3). Et cette conviction ferme que chacun a 'l'esprit bon' (I, p. 4), de même qu'elle justifiait Descartes dans son entreprise hardie de tout vouloir reconsidérer afin de parvenir à 'distinguer le vrai d'avec le faux' (I, p. 3), persuade le lecteur du *Discours de la Méthode* que lui aussi est apte à bien juger. Dès les premières pages de l'ouvrage, nous sommes donc incités à découvrir en nous ce que Descartes trouvait en soi dont il était tout occupé.

(B) A chacun de critiquer avec sa raison les opinions d'autrui

Après avoir établi de la sorte qu'il est capable de raisonner aussi bien qu'un autre—et par là même que nous le sommes également—Descartes peut alors formuler le précepte de n'accepter aucune idée, communément répandue parmi les hommes, qui n'ait été soumise auparavant à l'examen du bon sens. Et lorsqu'il déclare: 'Dieu nous ayant donné à chacun quelque lumière pour discerner le vrai d'avec le faux, je n'eusse pas cru me devoir contenter des opinions d'autrui un seul moment, si je ne me fusse proposé d'employer mon propre jugement à les examiner lorsqu'il serait temps' (III, p. 27), il nous fait prendre conscience de notre indépendance à l'égard de ce qui est dit, de la liberté que nous avons de penser selon les exigences de notre raison, de la faculté dont chacun dispose 'de juger par [soi]' (I, p. 6) de toute chose. Et considérant 'que souvent il n'y a pas tant de perfection dans les ouvrages composés de plusieurs pièces, et faits de la main de divers maîtres, qu'en ceux auxquels un seul a travaillé' (II, p. 12), tout comme Descartes, nous convenons 'qu'il est malaisé, en ne travaillant que sur les ouvrages d'autrui, de faire des choses fort accomplies' (II, p. 13) et que, plutôt que de suivre les 'opinions de plusieurs diverses personnes', il vaut mieux se fier aux 'simples raisonnements que peut faire naturellement un homme de bon sens touchant les choses qui se présentent' (*Id.*). En voulant ainsi que chacun ajuste les opinions reçues en sa créance 'au niveau de la raison' (II, p. 14) et entreprenne soi-même de se conduire, Descartes pense que son lecteur fera siennes les vérités exposées dans le *Discours de la Méthode*, car après les avoir examinées en toute liberté il ne pourra manquer de les découvrir au fond de lui-même, tant elles sont fondées et universelles.

(C) La quête individuelle de la vérité

Ainsi nous repartons en quête de la vérité, à chaque génération, avec la méthode de Descartes qui est devenue la nôtre, puisque, grâce à lui, nous l'avons découverte en nous. Le développement des sciences depuis le XVIIème siècle atteste en effet la permanence de principes tels que: 'diviser chacune des difficultés que j'examinerais, en autant de parcelles qu'il se pourrait, et qu'il serait requis pour les mieux résoudre' (II, p. 19). Et si l'on oublie souvent que Descartes est à l'origine de ce mode de pensée, c'est que précisément nous avons entièrement retrouvé en nous ce qu'il avait trouvé en soi, au point que 'la méthode' qu'il préconisait 'pour bien conduire sa raison et chercher la vérité dans les sciences' (I, p. 3) a acquis l'anonymat des évidences. Et le fait que les résultats auxquels les savants ont abouti diffèrent de ceux exposés par Descartes, ou même s'y opposent, ne fait que confirmer le fondement et la justesse de la leçon que le philosophe a donnée en son temps: à chaque homme il appartient de faire usage de sa raison pour douter des opinions peu assurées, afin de pousser toujours plus loin et avec une certitude absolue la distinction indispensable du vrai et du faux.

Conclusion

Le meilleur enseignement que l'on puisse recevoir de Descartes ne se trouve donc pas dans les traités adressés avec autorité à un lecteur passif. Il est plutôt, comme l'a précisé Valéry, dans l'autorisation permanente, dans la force de l'exemple que donne l'auteur du *Discours de la Méthode* toujours occupé à se faire entendre soi-même et qui, pour prouver qu'il est apte, tout comme un autre, à bien juger et à accéder à la vérité, convainc quiconque veut bien le lire que chacun est libre et capable de découvrir quelques certitudes touchant la nature des choses, grâce au pouvoir de raisonner qui est également partagé entre les hommes. Ainsi le *Discours de la Méthode* devient-il une invitation à refaire, constamment et individuellement, le beau voyage de la recherche de la vérité. Et les réels disciples de Descartes sont ceux alors qui n'écoutent pas le maître exposer doctement la somme de ses connaissances, mais restent attentifs à leur être, à leur pensée, à leur exigence de vérité et de certitude comme le fut le philosophe. Et pour faire en sorte que, livrés à nous-mêmes, nous conduisions notre esprit par de bonnes voies, Descartes nous a pourvu d'un guide sûr: il nous a proposé, ou plutôt, il a fait que nous trouvions en nous sa prope méthode, qui devient la nôtre, qui est la méthode universelle.

Bernard Jean DESCARTES

7

'Plus qu'aucun autre philosophe, Descartes croit à l'intuition, aux imaginations fulgurantes, à l'enthousiasme poétique'. (A. Adam, *Histoire de la littérature française au XVIIème siècle,* t.I, p. 322)

Introduction

Nous nous représentons Descartes comme un mathématicien. Froid, impassible, il déroule ses longues chaînes de raisonnements d'une façon mécanique, sinon inhumaine. Il avance de preuve en preuve car, pour lui, il s'agit de tout démontrer. Mais, sous ce masque de géomètre rigoureux, certains ont voulu reconnaître un tempérament romantique. C'est ainsi qu'Antoine Adam affirme que 'plus qu'aucun autre philosophe, Descartes croit à l'intuition, aux imaginations fulgurantes, à l'enthousiasme poétique'. Cette remarque a de quoi nous étonner, car elle semble contredire tout ce que nous croyons avoir appris de l'auteur du *Discours*. A l'intuition, il semble qu'il ait préféré son contraire, la déduction; l'imagination est son ennemie, car elle est ennemie de la vérité. Quant à l'enthousiasme poétique, c'est-à-dire les vaticinations d'illuminés plus ou moins prophétiques, quelle place pourrait-il avoir, non seulement dans la philosophie du bon sens et de la méthode scientifique, mais, en fait, dans toute espèce de philosophie? Vraisemblablement, en voulant attirer notre attention sur un aspect inattendu de Descartes, M. Adam aura exagéré cet aspect hors de toute proportion et fait d'un trait secondaire une ligne maîtresse. Est-il néanmoins possible de recevoir cette suggestion? Les faits tolèrent-ils l'hypothèse d'un Descartes inspiré?

(I) Descartes raisonnable
(A) La prudence méthodologique

A première vue, c'est tout le contraire que nous observons. Dans le *Discours*, il n'est pas question d'inspiration, mais de méthode, non pas d'élan, mais de lenteur: 'je me résolus d'aller si lentement, et d'user de tant de circonspection en toutes choses, que, si je n'avançais que fort peu, je me garderais bien au moins de tomber' (II, p. 17). Déjà, au tout début, Descartes nous avait recommandé de progresser 'fort lentement' (I, p. 4). Des expressions comme 'par degrés', 'peu à peu' (*Id.*), reviennent sans cesse sous sa plume. Cette pondération est un trait constant. Elle se trouve pour ainsi dire inscrite dans la méthode elle-même, puisque le premier but de celle-ci est 'd'éviter soigneusement la précipitation' (II, p. 18). Point de fulgurance, donc, chez cet auteur qui 'tâche toujours de pencher vers le côté de la défiance plutôt que vers celui de la présomption' (I, p. 4).

(B) La morale sage

Nous trouvons la même attitude en morale. Toujours prudent et raisonnable, Descartes nous met sur la route du juste milieu: 'les grands chemins, qui tournoient entre des montagnes, deviennent peu à peu si unis et si commodes, à force d'être fréquentés, qu'il est beaucoup meilleur de les suivre que d'entreprendre d'aller plus droit en grimpant au-dessus des rochers et descendant jusques au bas des précipices' (II, p. 15). Ces sentiers battus lui suffisent. Pour fuir les extrêmes, sa morale prendra son bien dans les vagues préceptes de résignation et de sérénité que la pensée antique, depuis Socrate, avait souvent rebaptisés sans les changer jamais. Acceptation des us et coutumes de son pays, respect des lois: les principes conformistes de Descartes ne laissent aucune place à l'inspiration personnelle, à l'initiative créatrice. La différence est grande avec la morale ouverte de Bergson, où, par l'action des héros et des saints, l'ordre social figé éclate et se régénère. Ainsi se vérifie la belle formule de Pascal: 'la vraie morale se moque de la morale' (B. 4). Chez Descartes, au contraire, il n'y a pas de souffle, ou de poésie, car on a voulu par-dessus tout éviter les conflits.

(C) Méfiance à l'égard de l'imagination

En somme, notre auteur, tout comme Platon, chasse les poètes de sa cité. Il n'a que faire de l'imagination, et on pourrait dire du *Discours* qu'il présente un réquisitoire métaphysique en règle contre la 'folle du logis'.*

Tout d'abord, dans une perspective traditionnelle, l'imagination nous trompe. Elle veut nous persuader de la réalité des chimères et nous abuse encore en déformant le réel. Contre elle, Descartes nous donne une arme, la méthode, qui nous apprend à n'accueillir que 'l'évidence de notre raison' (IV, p. 38). Et il ajoute: 'Je dis: de notre raison, et non point de notre imagination ni de nos sens' (*Id.*), pour bien montrer que raison et imagination sont incompatibles et qu'il a fait nettement son choix entre elles deux.

Le cartésianisme, en effet, renonce à l'imagination, car il renonce au monde sensible. Avant lui, la scolastique avait supposé que nous connaissons le monde extérieur par les sens d'abord, puis par l'entendement qui distille les données des sens. Ainsi, on avait pensé que 'tout ce qui n'est pas

* Malebranche.

imaginable [. . . n'est] pas intelligible' (IV, p. 35). Descartes présente une métaphysique purement intellectuelle, fondée sur des notions inaccessibles aux sens, comme 'les idées de Dieu et de l'âme' (IV, p. 36); et il lui 'semble que ceux qui veulent user de leur imagination pour les comprendre font tout de même que si pour ouïr les sons, ou sentir les odeurs, ils se voulaient servir de leurs yeux' (*Id.*). Ces gens sont 'tellement accoutumés à ne rien considérer qu'en l'imaginant' (IV, p. 35) 'qu'ils n'élèvent jamais leur esprit au delà des choses sensibles' (*Id.*). C'est en renonçant à l'imagination et en élevant ainsi notre esprit, que nous pourrons entendre les vérités de la métaphysique de Descartes. Celle-ci, afin d'échapper à l'incertitude qui s'attache à la connaissance par les sens, veut être, comme la mathématique, entièrement intellectuelle et non-sensible.

Tant par sa tonalité que par son contenu, le cartésianisme, du moins au prime abord, apparaît comme étranger à des notions telles que l'imagination, l'inspiration, l'enthousiasme. Mais en va-t-il de même pour Descartes?

(II) L'enthousiasme chez l'homme Descartes

(A) Personnalité enthousiaste

Descartes distingue toujours très nettement entre le domaine de ses idées et celui de sa vie. Les principes qui sont bons dans la recherche personnelle de la vérité cessent d'être valables en morale, et sont même écartés comme dangereux. C'est une distinction analogue que nous trouvons ici. La prudence de la méthode contraste avec l'enthousiasme de celui qui la propose. Le *Discours* est parsemé d'expressions qui contredisent cette prudence: 'j'avais toujours eu un extrême désir d'apprendre' (I, p. 11), nous dit Descartes; 'je pris un jour la résolution d'étudier aussi en moi-même' (*Id.*), ajoute-t-il, révélant une décision précipitée qui n'est certes pas en accord avec la première règle de la méthode. Il ne faut donc pas faire du cartésianisme une philosophie désincarnée, et surtout pas dans le *Discours*, car nous y sentons tout au long une présence vivante, non pas seulement une raison, mais aussi un 'cœur assez bon' (III, p. 30) qui voit dans la philosophie une source de joie ineffable: il se prend d'enthousiasme pour le project d'une science universelle, se met à écrire, en un mouvement de bravade romantique, pour ne pas donner tort à ceux qui disent qu'il a déjà obtenu des résultats et pour se 'rendre digne de la réputation qu'on [lui] donnait' (*Id.*).

(B) Descartes croit à l'enthousiasme poétique

Ce personnage, plus chevalier et soldat que philosophe de cabinet, nous sommes moins surpris maintenant de le voir nous parler de la poésie en des termes que les romantiques approuveraient plus volontiers que les classiques. Contrairement à la plupart de ses contemporains, il ne pense pas que la poésie puisse s'apprendre et se cultiver par la pratique, comme une technique: 'ceux qui ont les inventions les plus agréables, et qui les savent exprimer avec le plus d'ornement et de douceur, ne laisseraient pas d'être les meilleurs poètes, encore que l'art poétique leur fût inconnu' (I, p. 8). L'inspiration poétique est un don inné. Descartes ne s'en tient d'ailleurs pas là, et, pour lui, le poète a un mystérieux pouvoir de voyance. Il n'est pas seulement un créateur de beauté, il est aussi un découvreur de vérité. Dans les *Cogitationes Privatæ* (édition Adam et Tannery, t. X, p. 217), il écrit: 'il y a en nous, comme dans un silex, des germes de science que les philosophes extraient par le raisonnement et que les poètes font jaillir et font briller bien davantage par l'imagination'. Descartes croit bien à l'enthousiasme poétique, s'il le place plus haut que la déduction logique!

(III) L'enthousiasme dans la philosophie

Certes, la philosophie réussit à coup sûr à dévoiler la vérité, alors que les imaginations des poètes, pour fulgurantes qu'elles puissent être, ne se produisent pas à volonté. Aux aléatoires manifestations de l'Esprit chez des illuminés, nous devons préférer la méthode lente mais infaillible. Est-ce à dire, cependant, que le cartésianisme n'a rien conservé de l'enthousiasme que nous avons remarqué chez son auteur?

(A) Intuition de la vérité et vérité de l'intuition

Nous avons pu constater que, dans son ensemble, la pensée de Descartes est trop rationaliste pour laisser une place à l'enthousiasme et au cœur. Une étude approfondie du mouvement de cette pensée nous montre qu'il n'en va pas exactement ainsi. Certes, le raisonnement cartésien se déroule, par ordre déductif, de vérité en vérité. Mais à chaque étape de ce processus, il faut reconnaître la vérité. Or, cette prise de conscience de la vérité n'est pas démontrable. Tout ce que nous pouvons faire est examiner si la proposition que nous avons obtenue est aussi claire et distincte que le *Cogito*. Quant au *Cogito* lui-même, il n'est pas davantage démontrable ou démontré. Ce n'est pas un syllogisme. Descartes remarque: 'il n'y a rien du tout en ceci, *je pense, donc je suis*, qui m'assure que je dis la vérité, sinon que je vois très clairement que pour penser il faut être' (IV, p. 32). Le *Cogito* est donc bien une intuition, intuition fulgurante, assez forte pour faire écrouler le doute dans lequel le philosophe vient de s'engager et pour abattre à jamais le pyrrhonisme. Comparer au *Cogito* une nouvelle intuition et trouver que celle-ci est claire et distincte, c'est encore faire acte d'intuition. Finalement, Descartes en arrive à proclamer la vérité de toute intuition ; à condition d'être claire et distincte, elle est aussi vraie qu'une déduction. Il n'y a pas deux degrés dans l'évidence. Descartes croit donc bien à l'intuition, puisque c'est d'elle, et non pas de la démonstration, qu'il fait le fondement de sa philosophie.

(B) Les excès de l'imagination

La présence de l'intuition au cœur du cartésianisme n'a rien de secret. Mais d'autres présences, cachées, inconscientes, se révèlent à un examen minutieux. Nous découvrons un Descartes imaginatif, trop imaginatif même. En un sens, le cartésianisme est une vision. L'édifice des sciences que conçoit Descartes, c'est dans un songe mystique qu'il a été pour la première fois entrevu. Malgré les dix-sept années de méditations et de réflexions scientifiques pendant lesquelles il a été remanié et mis au point, il apparaît, quand il est livré au public, toujours empreint de la mystérieuse grandeur de l'objet révélé. On ne sait à quoi attribuer ce prestige : à l'unité de la conception, à la rigueur de l'agencement des parties ou à l'absolue nouveauté du système par rapport aux anciennes classifications des sciences.

(C) Descartes oublie la méthode

Il en va de même pour le monde. Descartes se fait une idée grandiose de l'univers et de son fonctionnement, idée parfois plus poétique que scientifique. Insouciant des critiques de ses confrères, comme s'il s'agissait de querelles d'écrivains, il déroule son épopée scientifique avec un dogmatisme de barde solitaire. Il invente beaucoup, oublieux de sa méthode, car son imagination succombe au charme des intuitions claires et distinctes. Quand les différentes parties du tableau s'accordent parfaitement, il y voit une preuve de vérité et il est si satisfait qu'il ne prend pas garde de faire des expériences pour vérifier si les choses se passent effectivement comme il les a décrites. On voit cela dans le *Discours* avec l'exposé des mouvements du cœur. Parce que son principe explique plus de choses que celui de Harvey, et apparaît donc plus séduisant, en même temps que plus audacieux, il l'adopte, foulant aux pieds les règles de la méthode.

Conclusion

Peu de philosophes, M. Adam fait bien de nous le rappeler, ont été aussi fougueux que Descartes. Plus qu'à un Classique, le philosophe nous fait penser à Corneille, et même à un héros cornélien, avec ses élans, son enthousiasme, sa forte personnalité créatrice. Chez lui le caractère semble en conflit avec la philosophie, et mieux que nulle part ailleurs ce conflit est visible dans la méthode. L'inspiration explique la grandeur et les faiblesses de Descartes. Il a lui-même manqué de rigueur après l'avoir exigée des autres. Malgré ses propres préceptes, il est allé trop vite et trop loin. Voilà ses faiblesses. Mais le même démon l'a poussé sur la route de la grandeur. Ambitieux au point de ne pas connaître ses limites, Descartes a eu l'audace de léguer au monde une philosophie toute nouvelle, imparfaite, mais monumentale.

Bernard Jean DESCARTES

8

'La foi du philosophe dans la raison humaine le fixait dans une conception non-chrétienne, non-religieuse de l'homme. Le tragique des dogmes chrétiens, la folie de la croix, le scandale du Christ, ne lui échappent pas seulement dans sa vie personnelle. Sa philosophie y demeure imperméable. [. . .] Nulle place n'y est faite aux contradictions et aux conflits d'où jaillit le sentiment religieux chez un Pascal ou un Kierkegaard.' (A. Adam, *Histoire de la littérature française au XVIIème siècle*, t.I, p. 328)

Introduction

Avec Descartes, le rationalisme surgit à l'aube des temps modernes, auréolé encore d'une brume de préjugés médiévaux. Il accepte les compromis et se cantonne dans les demi-mesures. La physique cartésienne annonce les matérialismes scientifiques. Sa métaphysique, au contraire, demeure résolument spiritualiste et gravite autour de l'idée de Dieu. Certains pourront donc voir en notre auteur un philosophe chrétien, alors que d'autres feront de lui l'ancêtre de l'humanisme athée. Cette incertitude ne pourra disparaître que si nous mesurons, dans cette œuvre ambivalente qui contient à la fois un éloge de la religion et des arguments pour la combattre, la profondeur du sentiment religieux. Antoine Adam, qui a affronté ce problème, apporte une réponse sans équivoque. Pour lui, ce sentiment est absent de la pensée de Descartes. La véritable religiosité, en effet, naît de 'contradictions' et de 'conflits'. Or, le cartésianisme, système rationnel, ne présente pas de contradictions et son créateur est trop confiant pour être déchiré de conflits. Non-religieux, il est également non-chrétien, au sens authentique du terme, et totalement rationaliste. Nous essaierons de déterminer ce qu'il faut penser d'une telle assertion.

(I) La foi en la raison humaine

On trouve, dans le *Discours de la Méthode*, les échos d'un humanisme très terrestre, pour ne pas dire terre-à-terre.

(A) La possession de la nature

L'idéal visé par Descartes, c'est l'amélioration des conditions matérielles de l'existence et en particulier 'la conservation de la santé, laquelle est sans doute le premier bien et le fondement de tous les autres biens de cette vie' (VI, p. 59). L'essor irrésistible de la raison humaine assurera le progrès de l'espèce, mais non pas un progrès qui la détacherait de la nature. C'est en tant qu'exploitant de la nature que l'homme paraît le plus grand à Descartes qui ne doute pas qu'un jour il ne parvienne à s'en rendre comme 'maître' et 'possesseur' (cf. *id.*). Alors, ayant inventé une 'infinité d'artifices', l'humanité 'jouirait sans aucune peine des fruits de la terre et de toutes les commodités qui s'y trouvent' (*Id.*). Le paradis de Descartes est un paradis terrestre.

(B) Le divorce de la philosophie et de la religion

De même que sa science est franchement technologique, sa philosophie se veut résolument laïque. Elle établit un divorce entre la théologie et la métaphysique, alors que ces deux disciplines étaient étroitement interdépendantes dans la scolastique. La philosophie se tournait volontiers vers la foi lorsque la seule raison semblait impuissante à résoudre un problème, ou même, en cas de conflit entre le dogme et la raison, acceptait que l'autorité de celui-là l'emporte sur celle-ci. Pour Descartes, au contraire, 'nous ne nous devons jamais laisser persuader qu'à l'évidence de notre raison' (IV, p. 38). Il n'a donc que faire de la théologie et l'abandonne à ceux qui, par 'quelque extraordinaire assistance du ciel' (I, p. 9), peuvent entrevoir les mystères des 'vérités révélées qui [. . .] sont au-dessus de notre intelligence' (*Id.*).

Ne nous laissons pas abuser par la présence de Dieu au sein de la métaphysique cartésienne. Le Dieu de Descartes n'est pas le Dieu de Jésus-Christ: c'est l'idée de parfait, une abstraction semblable à des notions comme l'espace géométrique ou le triangle rectangle. L'existence est une des propriétés de la perfection, tout comme la rationalité pour l'espace géométrique ou la possession d'un angle égal à la somme des deux autres pour le triangle rectangle. Lorsque Descartes affirme cette existence de Dieu, il n'accomplit donc pas un acte religieux.

(C) Descartes favorise la libre pensée

Le divorce de la philosophie et de la religion devient rapidement un conflit. L'Eglise n'est pas disposée à perdre tout droit de regard sur les activités de la pensée. Elle surveille Descartes comme elle a surveillé Galilée. Les preuves cartésiennes de l'existence de Dieu, loin de l'apaiser, l'irritent. Le philosophe n'a manifestement pas vu la nécessité de la grâce divine qui donne la foi. Démontrer Dieu, si encore cela était possible, tiendrait du blasphème, et la théologie préfère se passer des services de Descartes tout comme celui-ci se passe de la théologie. D'autre part, une philosophie non-religieuse peut aisément devenir une philosophie antireligieuse. L'Eglise redoute par-dessus tout l'invitation à penser chacun pour soi. La méthode est un exercice d'esprit critique et peut conduire à la libre pensée, malgré son auteur qui ne veut pas qu'on l'applique aux domaines religieux et social. Le siècle des lumières attribuera à Descartes la paternité du mouvement de libération de la pensée. L'Eglise avait donc quelque raison de se méfier de notre philosophe et de voir en lui un ennemi.

(II) Le christianisme de Descartes

A moins d'accuser Descartes d'hypocrisie, ce qui ne semble aucunement justifié, nous devrons conclure que c'est malgré lui qu'il se trouve dans les rangs des opposants de l'Eglise.

(A) Respect pour la religion

Le *Discours* contient de nombreuses attestations de sa fidélité. 'Je révérais notre théologie, et prétendais autant qu'un autre à gagner le ciel' (I, p. 9), nous dit-il, et, dans cette affirmation, le mot le plus important est peut-être le mot 'notre' qui établit l'appartenance du philosophe à l'Eglise catholique. Il parle 'de la vraie religion, dont Dieu seul a fait les ordonnances' (II, p. 13), avec respect et admiration, car il la voit comme un 'état [. . .] incomparablement mieux réglé que tous les autres' (*Id.*). Le respect pour l'Eglise, nous le trouvons sans cesse dans les paroles de Descartes, mais nous le trouvons aussi dans ses actes, dont certains ont dû lui coûter beaucoup, en particulier le fait de renoncer à la publication de son traité du *Monde*. Enfin, nous le trouvons dans sa philosophie. Descartes refuse d'inclure dans l'expérience du doute 'les vérités de la foi qui ont toujours été les premières en [sa] créance' (III, pp. 27–28). Sa morale recommande l'observance de la religion catholique dans laquelle Dieu lui 'a fait la grâce' (III, p. 23) d'être élevé. On peut voir aussi du respect pour l'Eglise dans son souci de ne pas 'faire tort' (V, p. 43) à la théologie sur certains points où sa pensée pourrait sembler en contradiction avec l'Ecriture. C'est ainsi qu'il fait appel à la théorie de la Création continuée, 'opinion communément reçue entre les théologiens' (*Id.*), pour rendre plus recevable sa propre conception de la genèse. On le voit aussi souvent hésiter, atténuer ses propositions, pour ne pas heurter l'Eglise de front.

(B) Attaques contre l'incroyance

Non content de respecter l'Eglise, Descartes voudrait la servir. Nous l'avons vu essayer de réfuter 'l'erreur de ceux qui nient Dieu' (V, p. 56), et nous avons été conduits à observer que Descartes se trompait s'il croyait servir la cause de l'Eglise. Mais il en va différemment d'une autre erreur, celle qui consiste à 'imaginer que l'âme des bêtes soit de même nature que la nôtre, et que par conséquent nous n'avons rien à craindre ni à espérer après cette vie, non plus que les mouches et les fourmis' (*Id.*). Même si les arguments ne sont pas décisifs—et la théorie des animaux-machines, sur laquelle repose l'affirmation que nous venons de citer, n'est pas très convaincante—les chrétiens pourraient être intéressés de voir un penseur séculier arriver aux mêmes conclusions qu'eux par un autre chemin. Car ici, le problème de la survie de l'âme n'est plus une froide abstraction scientifique, mais une question religieuse. Et même si Descartes ne peut pas démontrer cette survie et se contente de dire de l'âme qu''on est porté naturellement à juger [...] qu'elle est immortelle' (*Id*), l'Eglise pourrait se servir de son témoignage à des fins apologétiques, comme elle aime à se servir de l'exemple de Socrate qui, au moment de mourir, parie pour l'au-delà.

(C) Charité chrétienne

La religion n'est pas seulement une vision du monde, c'est aussi une façon de vivre. Toute la conduite du chrétien doit s'inspirer du commandement de la charité. Nous trouvons la même exigence chez Descartes qui nous dit 'que chaque homme est obligé de procurer autant qu'il est en lui le bien des autres, et que c'est proprement ne valoir rien que de n'être utile à personne' (VI, p. 63). Cette charité utilitaire, organisée, nous en avons des exemples dans la vie personnelle du philosophe: il enseigne les mathématiques à un jeune Hollandais; il répond à toutes les questions de ses correspondants. Enfin, c'est toute son œuvre qui apparaît comme un effort pour faire le bien de l'humanité.

(III) Pas de sentiment religieux chez Descartes

(A) Optimisme

Descartes a pu éprouver des sentiments chrétiens sans connaître le sentiment religieux. Les deux notions, en effet, ne se recoupent pas nécessairement. On peut vivre en chrétien sans vivre le christianisme. Le sentiment religieux est si intense et exclusif qu'il s'accompagne de déchirements. Dans le contact personnel avec Dieu, le fidèle est accablé par la distance qui le sépare de son sauveur. Comme l'a montré Kierkegaard, il est angoissé. Il voit l'homme comme une créature misérable, et le créateur comme infini en puissance et en amour. Il se sent indigne. Un conflit se crée, ou se précise, au sein de la personnalité mystique, où la culpabilité a une certaine place. Dieu révèle ce conflit, et en même temps, c'est lui qui permet de le résoudre.

Chez Descartes, au contraire de ce déchirement, nous trouvons un solide optimisme : 'notre volonté ne se portant à suivre ni à fuir aucune chose que selon que notre entendement la lui représente bonne ou mauvaise, il suffit de bien juger pour bien faire, et de juger le mieux qu'on puisse pour faire aussi tout son mieux, c'est-à-dire pour acquérir toutes les vertus, et ensemble tous les autres biens qu'on puisse acquérir ; et, lorsqu'on est certain que cela est, on ne saurait manquer d'être content' (III, p. 27). L'homme n'est pas misérable, puisqu'il ne saurait connaître le bien et néanmoins opter pour le mal. Comme pour Socrate, le problème moral n'est en somme qu'un problème de connaissance. Que l'entendement nous montre la vérité, et notre volonté invincible nous maintiendra dans le droit chemin. Chez Descartes, s'il n'y a pas de sentiment religieux, c'est parce qu'il n'y a pas de péché.

(B) Le sentiment du rationnel

Il y a de l'irrationnel dans la religion, et le christianisme, loin de dissimuler cet aspect, y a toujours insisté. Saint Paul présente les dogmes comme illogiques. Nous ne pouvons comprendre un Dieu qui se crucifie. Pascal montre que le sentiment religieux lui-même est illogique. Dieu ne veut pas se révéler trop ouvertement. Ce Dieu caché, comme il serait simple de conclure à son absence ! Le sentiment religieux triomphe de l'absurdité du monde et de notre situation dans le monde, mais il en a conscience. Descartes, au contraire, voit le monde comme absolument rationnel. 'Dieu ayant donné à chacun quelque lumière pour discerner le vrai d'avec le faux' (*Id.*), les hommes, quand ils reconstruisent pas à pas un monde rationnel et en percent tous les mystères, ne font qu'accomplir l'intention divine. Pour Descartes, il n'y a pas de fruit défendu. Le monde est intelligible grâce à 'certaines lois que Dieu a [. . .] établies en la nature, et dont il a imprimé [. . . des] notions en nos âmes' (V, pp. 39–40) et Dieu, intelligible lui aussi, est accessible à la raison au lieu d'être un 'scandale' pour elle. Au *credo quia absurdum* de la foi, Descartes substitue : *scio quia demonstratum.*

(C) La bonne conscience

Sur le plan de la morale, Descartes nous prescrit de nous en tenir provisoirement à l'ancien principe de la sagesse antique : la résignation, car 'il n'y a rien qui soit entièrement en notre pouvoir que nos pensées, en sorte qu'après que nous avons fait notre mieux touchant les choses qui nous sont extérieures tout ce qui manque de nous réussir est au regard de nous absolument impossible' (III, p. 25). Plus tard, voulant combiner ce précepte avec le reste de sa philosophie, et établir en droit ce qui n'était que la vieille recette :

faire 'de nécessité vertu' (III, p. 26), il montrera que notre acceptation de l'ordre du monde est la conséquence rationnelle de notre découverte métaphysique du Dieu 'tout parfait et tout véritable' (IV, p. 38). Dieu connaît notre bien mieux que nous ne le connaissons nous-mêmes, et puisqu'il ne peut pas nous vouloir de mal, étant parfait, nous savons de façon certaine que tout ce qui nous arrive est ce qui peut nous arriver de meilleur. On a cru voir dans cette ébauche de morale définitive une nuance religieuse. Mais à y regarder de près, il n'en est rien. Descartes nous demande d'accepter Dieu, alors que le véritable chrétien se demanderait avec tremblement s'il a été accepté par Lui. Chez Descartes, il n'y a pas de rejetés; nous sommes tous élus, de par notre propre initiative.

Conclusion

Pour peu que l'on approfondisse la notion de sentiment religieux, on constate qu'il est absent chez Descartes, au point que celui-ci ne peut être qualifié de philosophe chrétien. Il ignore toutes les notions fondamentales de la théologie, le salut, le Dieu vivant, le péché. Certes, on peut excuser ceux qui se sont trompés sur ce point. Car Descartes lui-même se croyait sans doute philosophe chrétien. Mais pour lui, le chrétien et le philosophe devaient rester séparés, et la philosophie ne devait point céder le pas à la théologie. Ce que nous pressentons maintenant, c'est que, chez un philosophe authentiquement chrétien, la religion entre en conflit avec la philosophie, bientôt la domine et la remplace. La vision du monde de Descartes demeure une conception non-religieuse, car elle garde une place à la philosophie.

9

Descartes donne cette définition du *Discours de la Méthode*: 'une histoire, ou, si vous l'aimez mieux, [. . .] une fable.' (I, p. 5)

Introduction

Au XVIIème siècle la fable fut brillamment illustrée dans la littérature française ; et bien avant la Fontaine, Descartes ne laissa point d'user de cet artifice qui permet d'instruire en plaisant. Aussi, se proposant de décrire le *Discours de la Méthode* à son lecteur, le fit-il en ces termes: 'une histoire, ou, si vous l'aimez mieux, [. . .] une fable'. S'il faut en croire l'auteur, il conviendrait donc de considérer cet ouvrage philosophique comme le récit d'événements vrais ou imaginaires qui serait fait de façon agréable et dans un but didactique, et qui se composerait 'de deux parties, dont on peut appeler l'une le corps, l'autre l'âme. Le corps est la fable; l'âme, la moralité'*. Mais alors, pourquoi Descartes n'a-t-il pas intitulé son œuvre : *Histoire ou Fable de la Méthode?* En fait, à quel genre littéraire appartient cet ouvrage auquel le philosophe donne le nom de discours et qu'il définit, par ailleurs, comme une fable ?

(I) Une Fable

Ainsi que Descartes le laisse entendre dans un commentaire aussi surprenant que laconique, le *Discours de la Méthode* emprunte à la fable certaines particularités : plusieurs parties consistent principalement en la narration d'une histoire, tandis que d'autres tirent la leçon des événements relatés; quant au style dans lequel ces choses sont exprimées, il présente de nombreuses métaphores développées avec détail et pittoresque qui constituent de véritables illustrations allégoriques.

(A) Une histoire pour informer

Et de fait, le lecteur découvre sans tarder que le propos de Descartes, en écrivant le *Discours de la Méthode*, a été de montrer 'les chemins qu['il a] suivis' et de 'représenter [sa] vie comme en un tableau' (I, p. 5). Et c'est bien son histoire que conte l'auteur dans ces pages autobiographiques consacrées à la relation des événements qui ont influencé la

* La Fontaine, 'Préface', *Fables, pléiade*, p. 11.

formation de son esprit: 'sitôt que l'âge me permit de sortir de la sujétion de mes précepteurs, je quittai entièrement l'étude des lettres; et me résolvant de ne chercher plus d'autre science que celle qui se pourrait trouver en moi-même, ou bien dans le grand livre du monde, j'employai le reste de ma jeunesse à voyager, à voir des cours et des armées, à fréquenter des gens de diverses humeurs et conditions, à recueillir diverses expériences, à m'éprouver moi-même dans les rencontres que la fortune me proposait, et partout à faire telle réflexion sur les choses qui se présentaient que j'en pusse tirer quelque profit' (I, p. 10). Or ce récit d'une jeunesse qui a été formée par les voyages, très vite, d'histoire devient fable.

(B) Une fable pour instruire

Descartes, en effet, n'est pas conteur par goût de l'anecdote. S'il écrit une autobiographie, c'est que sa vie a un sens qu'il importe de faire entendre à la suite de l'exposé historique des faits. Aussi, quittant les détails et la chronologie, le fabuliste s'attache-t-il à commenter longuement la signification de l'expérience précédemment décrite: 'il me semblait que je pourrais rencontrer beaucoup plus de vérité dans les raisonnements que chacun fait touchant les affaires qui lui importent, et dont l'événement le doit punir bientôt après s'il a mal jugé, que dans ceux que fait un homme de lettres dans son cabinet touchant des spéculations qui ne produisent aucun effet, et qui ne lui sont d'autre conséquence sinon que peut-être il en tirera d'autant plus de vanité qu'elles seront plus éloignées du sens commun, à cause qu'il aura dû employer d'autant plus d'esprit et d'artifice à tâcher de les rendre vraisemblables' (I, pp. 10–11). Après avoir dit ainsi l'enseignement qu'il reçut de ces 'gens de diverses humeurs et conditions' (I, p. 10), rencontrés au hasard des chemins, Descartes généralise cette leçon particulière et en fait une moralité qui exprime une vérité valable pour tous: celle 'd'apprendre à distinguer le vrai d'avec le faux' (I, p. 11).

(C) Un style de fabuliste pour plaire

Outre que 'la gentillesse des fables réveille l'esprit' (I, p. 7) et permet d'éduquer le lecteur, Descartes imite encore le style des fabulistes afin de plaire, de donner un certain charme à son discours, de le faire recevoir agréablement dans les salons. Le philosophe veut-il exprimer une idée nouvelle qu'il la fait alors précéder d'un membre de phrase qui, à lui seul, est une petite fable achevée. C'est ainsi que relatant l'expérience du doute méthodique et l'enrichissement qu'il peut y avoir même à rejeter des idées incertaines, Descartes écrit: 'Et comme en abattant un vieux logis, on en réserve ordinairement les démolitions pour servir à en bâtir un nouveau, ainsi, en détruisant toutes celles de mes opinions que je jugeais être mal fondées, je faisais diverses observations [...] qui m'ont servi depuis à en établir de plus certaines' (III, p. 28). La première proposition se compose de la fable du démolisseur qui sert d'illustration au discours philosophique, et le rapport entre le récit et la méditation qui lui fait suite est cette moralité si aisément concevable que l'auteur n'a pas lieu de devoir l'exprimer: il ne faut détruire que pour avoir de quoi mieux rebâtir. Et le *Discours de la Méthode* abonde en fables plus ou moins développées, parmi lesquelles celles de l'architecte et du conquérant ont la faveur de l'auteur.

Ainsi Descartes était-il justifié de proposer cet écrit 'comme une histoire' ou, plus précisément, 'comme une fable'. Ce faisant, il indiquait sa volonté d'instruire et de plaire avec art et distinction. Toutefois, il serait abusif de vouloir réduire ce discours à un simple écrit de fabuliste, comme Descartes y invite: trop d'éléments caractéristiques de l'œuvre échapperaient alors à cette définition partielle.

(II) Une anti-fable

Or tout ce qui dans le *Discours de la Méthode* est étranger au genre littéraire auquel l'auteur se réfère, s'y oppose en quelque sorte, à tel point que l'on pourrait dire, avec fondement, que l'ouvrage est une 'anti-fable', car souvent Descartes fausse l'esprit des moralités qu'il exprime, remplace les héros du récit par des idées désincarnées, ou use d'un style philosophique beaucoup plus abstrait qu'imagé.

(A) Une fausse moralité

Le philosophe, en effet, n'enseigne pas, au terme de son histoire, un précepte, une idée morale comme: 'la raison du plus fort est toujours la meilleure'*. Ce qu'il propose, c'est une méthode, et qui plus est, une méthode qu'il ne donne pas en modèle car elle lui semble trop particulière et personnelle: 'mon dessein, précise-t-il, n'est pas d'enseigner ici la méthode que chacun doit suivre pour bien conduire sa raison, mais seulement de faire voir en quelle sorte j'ai tâché de conduire la mienne' (I, p. 5). Ainsi, la leçon du discours, contrairement à la moralité de la fable, n'a pas de valeur générale. Et Descartes insiste sur ce point; cherchant à convaincre le lecteur du peu d'intérêt qu'il y aurait à vouloir s'aventurer dans une entreprise qui concerne seulement l'auteur, il déclare: 'que si mon ouvrage m'ayant assez plu, je vous en fais voir ici le modèle, ce n'est pas, pour cela, que je veuille conseiller à personne de l'imiter. Ceux que Dieu a mieux partagés de ses grâces auront peut-être des desseins plus

* La Fontaine, *Le Loup et l'Agneau*.

relevés; mais je crains bien que celui-ci ne soit déjà que trop hardi pour plusieurs. La seule résolution de se défaire de toutes les opinions qu'on a reçues auparavant en sa créance, n'est pas un exemple que chacun doive suivre' (II, pp. 15–16). La recherche de la certitude et la découverte de la vérité étant l'affaire de chacun, le *Discours de la Méthode*, en décrivant l'expérience d'un homme, ne saurait donc offrir une moralité à l'usage de tous et, conséquemment, être assimilé à une fable.

(B) Les idées remplacent les héros

Et de même que l''âme' du discours est contraire à celle de la fable, comme le sont le général et le particulier, les idées philosophiques abstraites remplacent vite les héros dans ce traité dont l'auteur cesse rapidement d'être fabuliste. C'est ainsi que la deuxième partie commence comme une histoire avec des détails pittoresques, un personnage, une intrigue et bientôt se transforme en une méditation qui n'a que faire d'un décor réaliste et de la 'gentillesse' propre aux fables: 'j'étais alors en Allemagne, où l'occasion des guerres qui n'y sont pas encore finies m'avait appelé; et comme je retournais du couronnement de l'empereur vers l'armée, le commencement de l'hiver m'arrêta en un quartier où, ne trouvant aucune conversation qui me divertît, et n'ayant d'ailleurs, par bonheur, aucuns soins ni passions, qui me troublassent, je demeurais tout le jour enfermé seul dans un poêle, où j'avais tout le loisir de m'entretenir de mes pensées. Entre lesquelles l'une des premières fut que je m'avisai de considérer que souvent il n'y a pas tant de perfection dans les ouvrages composés de plusieurs pièces, et faits de la main de divers maîtres, qu'en ceux auxquels un seul a travaillé' (II, p. 12). L'espace d'un instant et voici notre héros qui de soldat devient être pensant. Et la fable de se transformer alors en dialogue philosophique entre Descartes et soi, en une 'conversation étudiée' (I, p. 7) au cours de laquelle l'auteur nous découvre les meilleures de ses pensées, sans chercher à les faire vivre dans quelques personnages fictifs ou réels.

(C) Un style didactique

Et c'est pourquoi le style de cet entretien sur la méthode, afin de convenir à l'expression de concepts à l'état pur, est souvent dépouillé de tous détails concrets, de toutes images qui font le charme des fables. Rien de plus abstrait en effet que cette pensée morale: 'ma troisième maxime était de tâcher toujours plutôt à me vaincre que la fortune, et à changer mes désirs que l'ordre du monde, et généralement de m'accoutumer à croire qu'il n'y a rien qui soit entièrement en notre pouvoir que nos pensées, en sorte qu'après que nous avons fait notre mieux touchant les choses qui nous sont extérieures tout ce qui manque de nous réussir est au regard de nous absolument impossible' (III, p. 25). La pauvreté du vocabulaire, le désir constant d'exprimer l'idée des 'choses' plutôt que ces 'choses' elles-mêmes, le soin d'être aussi général que possible, le refus du moindre exemple, tout tend à faire de cette langue celle de la raison, uniquement, qui se défie toujours de ce qui pourrait parler à l'imagination ou flatter les sens, et nous tromper par conséquent. Dépourvues du pittoresque des fables, ces pages n'offrent donc qu'une sèche réflexion philosophique.

Ainsi, le *Discours de la Méthode* échappe-t-il à la définition qu'en proposait Descartes pour devenir un ouvrage de l'esprit dans lequel l'art le cède à la raison. Et de ce fait, l'œuvre acquiert une certaine ambiguïté due à cette juxtaposition d'éléments qui s'opposent. La question est alors de savoir comment la fable et le traité philosophique coexistent à l'intérieur de ce discours, quelle est leur fonction respective et quelle relation il peut y avoir entre eux.

(III) Un traité en forme de fable

En fait, Descartes a conçu son ouvrage comme un traité en forme de fable, ce qui lui permettait de parler librement tout en pouvant, si nécessaire, se protéger des attaques qu'on pourrait lui faire et se dire conteur de fictions; c'était aussi un moyen de se faire mieux entendre et d'insister sur l'originalité du propos tenu.

(A) Le fabuliste protège le philosophe

En présentant l'enseignement que le lecteur peut tirer du *Discours de la Méthode* tantôt comme une leçon qui n'a de valeur que pour l'auteur et tantôt comme une moralité dont l'intérêt est général et profitable à tous, Descartes fait effectivement preuve d'une prudence habile. Et c'est pourquoi il joue constamment sur ces deux interprétations. Ainsi il déconcerte qui voudrait le prendre en faute de donner des conseils condamnables et avertit que dans cet écrit, 'parmi quelques exemples qu'on peut imiter, on en trouvera peut-être aussi plusieurs autres qu'on aura raison de ne pas suivre' (I, p. 5). Il insiste, par ailleurs, sur le caractère fictif des visions qu'il déploie comme on écrit une fable, c'est-à-dire au moyen de choses imaginées. Et c'est pour éviter toute discussion avec les théologiens et tout risque de condamnation qu'il parle de 'ce qui arriverait dans un nouveau [monde] si Dieu créait maintenant quelque part, dans les espaces imaginaires, assez de matière pour le composer' (V, p. 41), plutôt que de ce qui arrive en effet dans l'univers tel qu'il existe présentement. Descartes veut 'feindre' comme les 'poètes' (V, p. 41), afin que l'audace de sa pensée puisse passer, si besoin est, pour du délire poétique, et ses explications 'touchant la nature des choses' (V, p. 40) pour des fables auxquelles il ne convient pas d'attacher plus d'importance qu'elles ne le méritent.

(B) La fable facilite l'intelligence de la pensée philosophique

Toutefois, la recherche de la sécurité, pour importante qu'elle soit, ne saurait justifier à elle seule que le philosophe se double d'un fabuliste. Pour Descartes, à vrai dire, la fable est essentiellement un procédé pédagogique au service de la méditation qu'elle introduit et rend facilement intelligible, étant donné qu'elle décrit des situations au moyen d'éléments empruntés, chacun, à la réalité quotidienne, à l'expérience familière, à la vie courante. Ainsi, voulant expliquer cette maxime pour le moins surprenante : 'être le plus ferme et le plus résolu en mes actions que je pourrais, et [. . .] ne suivre pas moins constamment les opinions les plus douteuses lorsque je m'y serais une fois déterminé, que si elles eussent été très assurées' (III, p. 24), le moraliste poursuit en disant une fable qui, elle, ne laisse pas le lecteur déconcerté, car sa simplicité fait qu'elle tombe sous le sens immédiatement : 'les voyageurs, qui se trouvant égarés en quelque forêt, ne doivent pas errer en tournoyant tantôt d'un côté, tantôt d'un autre, ni encore moins s'arrêter en une place, mais marcher toujours le plus droit qu'ils peuvent vers un même côté, et ne le changer point pour de faibles raisons, encore que ce n'ait peut-être été au commencement que le hasard seul qui les ait déterminés à le choisir ; car, par ce moyen, s'ils ne vont justement où ils désirent, ils arriveront au moins à la fin quelque part où vraisemblablement ils seront mieux que dans le milieu d'une forêt' (*Id.*). Désormais que ce récit concret a permis de saisir sans difficulté les données du problème et sa solution, Descartes peut s'élever à un plan purement abstrait, tout en se faisant entendre, car il y a similitude de situations. Et c'est alors qu'il déclare, sans craindre de n'être pas compris : 'ainsi les actions de la vie ne souffrant souvent aucun délai, c'est une vérité très certaine que, lorsqu'il n'est pas en notre pouvoir de discerner les plus vraies opinions, nous devons suivre les plus probables ; et même qu'encore que nous ne remarquions point davantage de probabilité aux unes qu'aux autres, nous devons néanmoins nous déterminer à quelques-unes, et les considérer après, non plus comme douteuses en tant qu'elles se rapportent à la pratique, mais comme très vraies et très certaines, à cause que la raison qui nous y a fait déterminer se trouve telle' (III, pp. 24–5). Et c'est ainsi que la fable et la méditation philosophique se complètent dans le *Discours de la Méthode*, car toutes deux, et chacune selon ses moyens, servent à instruire le lecteur en lui proposant d'abord des choses simples et concrètes pour pouvoir le conduire ensuite jusqu'à l'abstraction des idées pures.

(c) La fable ou l'originalité du philosophe

Et ces mêmes fables qui servent à faciliter l'intelligence de l'œuvre mettent en valeur l'originalité de la pensée du philosophe. Ici architecte, là voyageur égaré, ailleurs capitaine à l'assaut, Descartes est, en fait, le seul héros de ces fictions qu'il conte. Et c'est alors à juste titre qu'il peut dire: 'Jamais mon dessein ne s'est étendu plus avant que de tâcher [. . .] de bâtir dans un fonds qui est TOUT A MOI' (II, p. 15). Alors que la réflexion philosophique abstraite tend à devenir impersonnelle, la fable, au contraire, dont l'auteur est l'unique personnage, met l'accent sur l'originalité de la méditation qu'elle introduit si agréablement. Aussi n'est-ce point dans la langue savante des philosophes que Descartes écrivit le *Discours de la Méthode*, mais en français, car cette œuvre est littéraire qui participe de la fable.

Conclusion

Un discours et une fable: c'est donc bien ainsi que se définit cet opuscule dans lequel Descartes traite 'de la méthode pour bien conduire sa raison et chercher la vérité dans les sciences' (I, p. 3). Et cette appartenance simultanée à deux genres différents, loin d'introduire un manque d'unité ou une contradiction à l'intérieur de l'œuvre, sert habilement la pensée philosophique de l'auteur. La fable prépare en effet le lecteur au discours. C'est elle qui rend aisé le passage du particulier au général, du concret à l'abstrait, de l'anecdote à la méditation. Car il s'agissait pour Descartes de séduire un public d'honnêtes hommes et de gens de salons, afin de le pouvoir instruire, ce qui a été le but ultime et le noble propos de tout écrivain du grand siècle français. Mais nul n'enseigne mieux que celui qui plaît au lieu de dispenser doctement des leçons, aussi Descartes, bon pédagogue et fabuliste de talent, sait-il passer avec art et prudence de ce qui le concerne seul à ce qui pourrait légitimement intéresser autrui. Et c'est ce mouvement continu entre la fable et le discours, entre le récit personnel et la moralité philosophique qui rend son ouvrage caractéristique de ceux des penseurs et moralistes du XVIIème siècle selon qui le 'corps' d'une œuvre, pour plaisant qu'il dût être, ne pouvait importer à l'égal de l''âme' et de son universalité.

Bernard Jean DESCARTES

10

'Ce soi-disant canon de la clarté française est [. . .], en réalité, le chef-d'œuvre du trompe-l'œil.' (G. Gadoffre)

Introduction

Les Français passent pour avoir l'esprit clair. Légende ou réputation, cela se justifierait par l'influence de la philosophie de Descartes, philosophie de la clarté tant par son contenu, puisqu'elle est fondée sur la notion d'idée claire et distincte, que par sa présentation 'géométrique'. Des générations nourries du *Discours de la Méthode* en auraient retenu une leçon de clarté. Mais s'il est facile de montrer que cette leçon n'a pas réellement été apprise, ne serait-il pas possible de se demander si le modèle lui-même est aussi clair qu'on l'a dit. C'est la question à laquelle M. Gadoffre répond de la façon la plus nette: 'ce soi-disant canon de la clarté française est [. . .], en réalité, le chef-d'œuvre du trompe-l'œil'. Nous tenterons d'établir ce qu'il en est en dirigeant notre enquête de la périphérie vers le centre, en approfondissant graduellement le problème.

(I) Le style

Au niveau le plus superficiel, le style du *Discours* nous cause quelque embarras. Est-il bon, est-il méchant? Pour M. Gadoffre, cet 'opuscule aride [est] rendu plus difficile encore par les pièges d'un style qui n'a de la clarté que l'apparence'. (p.V). Que faut-il penser de la forme du *Discours*?

(A) Obscurités

Si nous nous livrons à une lecture attentive, nous tombons, à certains moments, sur de véritables écueils, sur des phrases impénétrables au premier abord, comme, dans la première partie: 'et je ne sache point de qualités que celles-ci qui servent à la perfection de l'esprit', (p. 4) ou, dans la quatrième, la longue phrase de dix-sept lignes dont le passage le plus difficile doit être cité: 'au lieu que si j'eusse seulement cessé de penser, encore que tout le reste de ce que j'avais imaginé eût été vrai, je n'avais aucune raison de croire que j'eusse été' (IV, p. 32). La page 36 recèle (ll. 23–5) des difficultés du même ordre. Certes, ce que veut nous dire Descartes est très difficile en soi-même, mais le style qui a la réputation de tout rendre simple fait ici cruellement défaut. Il faut ajouter néanmoins que cela n'est pas toujours vrai, et admirer la luminosité de certains développements métaphysiques, la verve de certains récits.

(B) Lourdeurs

On a beaucoup insisté sur l'influence du latin sur le français de Descartes. Cela peut expliquer les phrases longues, mais cela ne saurait en excuser certaines (V, p. 44, ll. 14–27). Surtout, Descartes a l'habitude d'abuser des pronoms de rappel: les phrases interminables ne sont dès lors plus divisibles en plus petites unités. Cela entraîne aussi des difficultés de lecture: 'en sorte que [. . .] l'âme [. . .] est entièrement distincte du corps [. . .] et qu'encore qu'il ne fût point elle ne laisserait pas d'être tout ce qu'elle est' (IV, p. 32). On peut dire que Descartes a fait l'aveu des insuffisances de son style lorsqu'il a fait donner à la traduction latine un peu plus de précision dans certains passages.

(C) Vocabulaire

Une autre source de difficultés est le vocabulaire. Nous ne dirons rien des mots techniques, archaïsants ou à sens latin, qui ne sauraient trop être reprochés à un philosophe. Mais il y a parfois un usage bien vague des termes, et pas seulement des termes philosophiques. Ne peut-on, en effet, relever, à la page 40, le mot 'ombrager' employé coup sur coup dans deux sens différents?

Un recours excessif à l'abstraction conduit aussi à des phrases peu claires, comme: 'toute composition témoigne de la dépendance' (IV, p. 34).

Toutes ces difficultés sont loin, certes, d'être insurmontables. Mais la mise en relief de certaines faiblesses nous a fait voir qu'il ne faut pas prêter au *Discours* une réputation de clarté acquise par d'autres textes cartésiens.

(II) Contradictions superficielles

En approfondissant notre étude, nous nous tournons vers la matière du *Discours*, et force est de constater, au lieu de la clarté attendue, un certain nombre de contradictions, dont nous ne retiendrons pour l'instant que les plus superficielles.

(A) Raison et esprit

La première, relevée par tous les critiques, est plutôt une hésitation de Descartes entre deux tendances, libérale et conservatrice. Après avoir montré plus de confiance dans notre raison naturelle que dans ce que nous pouvons apprendre des autres, ne va-t-il pas déclarer: 'la seule résolution de se défaire de toutes les opinions qu'on a reçues auparavant en sa créance, n'est pas un exemple que chacun doive suivre' (II, p. 16)? Il refuse cette solution à ceux qui ont 'assez de raison ou de modestie pour juger qu'ils sont moins capables de distinguer le vrai d'avec le faux' (*Id.*). Or, nous avait-il dit, 'la puissance de[. . .]distinguer le vrai d'avec le faux [. . .] est naturellement égale en tous les hommes'. (I, p. 3). Le seul moyen de réconcilier ici Descartes avec lui-même est de distinguer entre pouvoir et capacité, entre la puissance virtuelle de la raison, qui est uniforme, et le degré de développement des esprits, qui varie d'individu à individu.

(B) Morale et méthode

La seconde n'est sans doute qu'une contradiction apparente entre morale et méthode. En morale, Descartes se rangeait aux 'opinions les plus modérées et les plus éloignées de l'excès qui fussent communément reçues en pratique par les mieux sensés' (III, p. 23). Il ajoute : 'il me semblait que le plus utile était de me régler selon ceux avec lesquels j'aurais à vivre' (*Id.*). Or, dans la deuxième partie, il s'était présenté comme l''homme qui marche seul et dans les ténèbres' (p. 17), nous exposant sa règle de conduite : 'je ne pouvais choisir personne dont les opinions me semblassent devoir être préférées à celles des autres, et je me trouvai comme contraint d'entreprendre moi-même de me conduire.' (*Id.*)

Règler ses opinions et règler sa conduite sont donc des opérations bien distinctes. Il faut se demander si cette distinction est légitime. Pourquoi des principes si différents pour la morale et pour la science ? La justification de Descartes réside en ce que la morale qu'il nous donne dans le *Discours* n'est que provisoire : 'je n'eusse pas cru me devoir contenter des opinions d'autrui un seul moment, si je ne me fusse proposé d'employer mon propre jugement à les examiner lorsqu'il serait temps' (III, p. 27). Lorsque les règles de la méthode pourront s'appliquer aussi à la morale, la contradiction aura disparu.

(C) Contradictions dues au plan

M. Gadoffre relève d'autres contradictions de même nature, mais de moindre conséquence. Les affirmations hostiles à la philosophie stoïcienne que l'on trouve dans la première partie (p. 9, ll. 4–13) semblent avoir été oubliées dans la troisième qui nous recommande quelque chose de bien semblable au stoïcisme. Ce stoïcisme, qui pousse Descartes à 'changer [ses] désirs [plutôt] que l'ordre du monde' (III, p. 25) est lui-même contredit dans la sixième partie par l'attitude beaucoup moins résignée du savant qui veut 'nous rendre comme maîtres et possesseurs de la nature' (p. 59). Enfin, dans cette même sixième partie, l'affirmation de l'auteur sur la morale : 'pendant [. . .] que j'ai tâché de régler mes mœurs par les raisons qu'elle m'enseignait, je n'ai point cru être obligé d'en rien écrire' (p. 58), n'est guère conciliable avec la présence de la troisième partie. M. Gadoffre a expliqué toutes ces contradictions en montrant que le *Discours* n'avait pas été écrit d'un seul jet, mais qu'il était formé de plusieurs éléments composés à différentes périodes avec des intentions différentes. Le *Discours* n'est pas un écrit du même genre que les *Méditations*; il n'en a pas l'unité, il n'en a pas non plus la logique.

(D) Obscurités tactiques

Les changements d'intention de Descartes témoignent des tourments que l'affaire Galilée avait jetés dans son âme. Nous en retrouvons la trace en bien des endroits de la rédaction. Le même embarras qui avait conduit Descartes à adopter, pour la publication, une stratégie, puis une autre, contribue ici à obscurcir maint passage. Sa prudence verbale, lorsqu'il fait allusion à cette affaire, est telle que seuls peuvent comprendre ceux qui savent déjà de quoi il est question. Il se garde bien d'appeler par son nom la théorie de la rotation de la terre, et parle des 'opinions qui sont reçues entre les doctes' (V, pp. 40–1) pour désigner le système géocentrique. Mais tout en disant qu'il va se passer de cette théorie dangereuse, il propose une explication des vents alizés (V, p. 42, ll. 20–2) qui ne peut que la faire entrer en jeu. Dans l'ensemble, son attitude consiste à déguiser sa pensée pour échapper aux critiques, et cela aboutit à un exposé considérablement alourdi de la genèse du monde (V, pp. 40–3) où les précautions oratoires viennent souvent interrompre le récit: 'toutefois je ne voulais pas inférer de toutes ces choses que ce monde ait été créé en la façon que je proposais, car il est bien plus vraisemblable que dès le commencement Dieu l'a rendu tel qu'il devrait être.' (V, p. 43.)

(III) Trompe-l'œil philosophique

S'il est désormais certain que le *Discours de la Méthode* nous apparaît comme un texte souvent peu clair, nous n'avons trouvé de trompe-l'œil qu'à des niveaux relativement inférieurs. Il faut nous tourner maintenant vers les démonstrations de Descartes et nous demander s'il n'y a rien de 'truqué' à l'intérieur même de sa philosophie.

(A) Comparaison n'est pas raison

Le ton du *Discours* change imperceptiblement en maint endroit, et l'on passe d'une argumentation précise à des aphorismes de salon, comme la phrase sur le bon sens, ou à des propos familiers comme tous ces passages où les images remplacent les preuves. Dans la deuxième partie, par exemple, Descartes fonde l'efficacité de la raison sur une série de simples images. La maison, la cité, les lois sont meilleures quand elles ne sont pas le fruit d'une collaboration. Donc, Descartes accomplira seul la réforme des sciences. Il faut mettre le holà à de tels raisonnements, et rappeler au philosophe que 'comparaison n'est pas raison'! De même, la seconde maxime de la morale appuie la règle de fermeté sur l'exemple des voyageurs perdus en forêt qui 'ne doivent pas errer en tournoyant tantôt d'un côté, tantôt d'un autre, ni encore moins s'arrêter en une place, mais marcher toujours le plus droit qu'ils peuvent vers un même côté' (III, p. 24). Rappelons-nous qu'il s'agit encore une fois d'une image, qu'il ne faut pas commettre l'erreur, qu'Alain commit jadis, de lire celle-ci comme partie organique du développement, comme une justification de la démarche de Descartes.

(B) Le cercle cartésien

Nous aurions pu nous attendre à ce que la quatrième partie fût libre de toute incertitude du type de celles que nous avons relevées jusqu'à présent. Cette partie prend en effet la forme d'un véritable résumé des *Méditations*, que Descartes venait d'élaborer, et qui apparaissent encore comme le prototype de la rigueur. Or, nous y trouvons un véritable cercle vicieux. L'auteur nous dit: 'les choses que nous concevons très clairement et très distinctement sont toutes vraies [. . .] à cause que Dieu est' (IV, p. 37). Mais il a établi précédemment que Dieu est parce que l'on peut concevoir très clairement et très distinctement un certain nombre de propositions. Faut-il accuser la nécessité de condenser? Ou bien les idées du *Discours* sont-elles encore brumeuses sur quelques points? Il est certain, cependant, que Descartes sortira de cette impasse quand on la lui aura fait remarquer.

(C) Validité du doute cartésien

Si l'idée claire et distincte est au centre de la philosophie cartésienne, le *Cogito*, qui en est le jaillissement, est au moins aussi important. Or, ne devons-nous pas constater là aussi un phénomène de trompe-l'œil? Le doute dont il nous fait sortir est-il un véritable doute?

Le début de la cinquième partie contient l'affirmation confuse d'une correspondance entre les lois de la nature et la structure de notre esprit. La croyance à un tel parallélisme est à la base de toutes les façons de penser du XVIIème siècle. Descartes devrait néanmoins sentir que cette affirmation a besoin d'être démontrée.

Mais il y a plus. Ce parallélisme, cette présomption en faveur de la Raison, n'est pas inclus dans le doute. Bien que Descartes n'en ait pas conscience, la possibilité de la rationalité a été mise à l'abri du doute avec la morale provisoire et la religion. Et Descartes se met à se servir de sa raison avant d'avoir établi des garanties suffisantes. Voilà pourquoi, sans avoir à entrer dans une critique de type kantien, nous pouvons affirmer que 'je pense, donc je suis' et les propositions qui en sont déduites, loin de s'imposer à nous, nécessitent une adhésion consentie. Ce que Descartes appelle évidence exige en fait un acte de foi.

Conclusion

Nous nous sommes approchés du *Discours* comme on s'approcherait d'un tableau armé d'une loupe. Plus aucune ligne droite ne demeure, plus une couleur franche. Pour emprunter d'autres termes à M. Gadoffre : 'les zones d'ombre s'agrandissent, des idées jusque-là invisibles se dessinent par transparence et quantité de mécanismes secrets se découvrent' (pp. v–vi).

La réputation de clarté que l'on accorde à l'esprit français, reposant sur un mythe, est-elle aussi un mythe ? Ce que l'analyse du *Discours* peut nous faire pressentir, c'est qu'il y a chez nous un sens superficiel de la clarté, un génie des grandes lignes, qui, pour peu que la réalité se rebelle, s'accommode parfois trop bien du trompe-l'œil.

Bernard Jean PASCAL

1

'*Descartes.*—Il faut dire en gros: "cela se fait par figure et mouvement," car cela est vrai. Mais de dire quels, et composer la machine, cela est ridicule. Car cela est inutile, et incertain et pénible.' (B. 79)

Introduction

La légende nous a transmis le souvenir d'une animosité de Descartes à l'égard de Pascal. Un rapide examen des fragments des *Pensées* qui se rapportent au cartésianisme montre une réticence similaire et réciproque de la part du jeune rival. Dans ces textes, Pascal se pose sans ambivalence comme l'adversaire de Descartes. Dans les deux cas, d'ailleurs, il s'agit moins d'une querelle de personnes que d'un désaccord philosophique si profond qu'il a pu affecter les rapports humains. Ce que Pascal reproche à Descartes, c'est de croire le monde ouvert à une explication rationnelle intégrale, de se le représenter comme une vaste 'machine' dont le fonctionnement est pleinement intelligible. A partir de notions simples comme l'espace et le 'mouvement', on pourra reconstruire ou 'composer la machine' de l'univers jusque dans la moindre de ses 'figures'. Pour Pascal, un tel propos est doublement fallacieux, condamnable également du point de vue de la science et de celui de la religion. Le savant, en Pascal, contemplant les résultats du cartésianisme, qualifie tout cet effort d''incertain'. Si elle contient des erreurs, l'œuvre de Descartes est 'inutile' à la science. Mais, Pascal, penseur moral, l'accuse d'inutilité religieuse. Nous essaierons d'approfondir tous les aspects de cette critique pascalienne du cartésianisme, en les traitant séparément.

(I) 'Descartes inutile et incertain' (B. 78) dans les sciences

Pascal a d'abord illustré son nom comme savant, et c'est comme savant que Descartes l'a connu. Il est donc naturel de se pencher d'abord sur les réserves, qu'en tant que spécialiste, il pouvait entretenir à l'égard de son prestigieux aîné.

(A) Descartes va trop loin

Parmi 'ceux qui approfondissent trop les sciences' (B. 76), Pascal range Descartes au premier plan, car il pousse trop loin le souci, en soi-même valable, d'explication scientifique.

(1°) Les explications pseudo-scientifiques

Pour Pascal, l'ambition qu'a Descartes de tout démontrer ressemble aux ridicules affirmations des présocratiques, au 'je vais parler de tout' (B. 72) de Démocrite. En effet, il y a dans sa genèse du monde une interprétation si générale des phénomènes qu'on est frappé par la gratuité de cette reconstitution. Le désir de tout embrasser conduit Descartes à ressusciter un monde à tonalités platoniciennes. Mais chez Platon, la genèse, dans sa fantaisie, ne prétendait qu'à une explication mythique, alors que dans la cinquième partie du *Discours* la même hypothèse d'un chaos préexistant à l'ordre sert malheureusement à appuyer des considérations qui se voudraient scientifiques. Les explications de détail sont aussi fantastiques et 'incertaines' que la vue d'ensemble. Pascal réagit différemment aux différentes solutions proposées par Descartes. La théorie de la matière subtile avait, dit-on, le don de le faire éclater de rire, même en présence de son auteur. Au contraire, sur la théorie des animaux-machines, il était assez de l'opinion de Descartes (cf. B. 246) et la conséquence de cette théorie sur les sensations semble rencontrer son approbation (cf. B. 368).

(2°) L'ordre

Pour Descartes, relier les phénomènes les uns aux autres, c'est encore les expliquer, car le monde, rationnel, est construit selon un ordre semblable et conforme à nos structures mentales. Le modèle, et pour le monde et pour l'esprit méthodique, sera fourni par les mathématiques; Pascal reconnaît qu'elles seules nous donnent un 'ordre', mais, peu convaincu que cet ordre se retrouve dans la nature, il considère la mathématique 'inutile en sa profondeur' (B. 61). 'La nature a mis toutes ses vérités chacune en soi-même; notre art les renferme les unes dans les autres, mais cela n'est pas naturel: chacune tient sa place' (B. 21).

(3°) Infinis inintelligibles

L'ordre du monde et celui de l'esprit humain ne se correspondent pas pour Pascal. La raison de l'homme est bornée, capable, certes, de découvrir la vérité dans des domaines circonscrits, mais incapable de se mesurer à l'univers qui est infini, en étendue et en profondeur. 'Notre raison est toujours déçue par l'inconstance des apparences, rien ne peut fixer le fini entre les deux infinis, qui l'enferment et le fuient' (B. 72).

(B) *Cogito* inutile

La raison pour laquelle la philosophie de Descartes est parfois si pesante provient de son désir de tout démontrer, même les premiers principes. Or, nous dit Pascal, il n'est pas nécessaire de se livrer à ces démonstrations: 'la connaissance des premiers principes, comme qu'il y a espace, temps, mouvement, nombres, [*est*] aussi ferme qu'aucune de celles que nos raisonnements nous donnent' (B. 282). Le 'je pense, donc je suis' de la métaphysique cartésienne n'a par conséquent nul besoin d'être démontré, car 'nous savons que nous ne rêvons point' (*Id.*). Il y a un certain nombre de choses dont la connaissance nous vient du 'cœur', c'est-à-dire d'un 'instinct' (B. 281) aussi sûr dans son propre domaine que la raison dans le sien. Il serait absurde d'appliquer la raison raisonnante à ces 'sentiments' fondamentaux tout autant que de se contenter de 'sentiments' dans le domaine du raisonnement.

(c) Pascal cartésien?

De ce que Pascal avait un certain respect pour la méthode scientifique, on a conclu qu'il acceptait le cartésianisme jusqu'à un certain point, en particulier dans le raisonnement de type mathématique. Cette conclusion n'a-t-elle rien de hâtif?

(1°) 'Impuissance de prouver'

Nous venons de voir que Pascal revalorise tellement l'intuition qu'il n'a que faire des vains efforts de Descartes pour prouver la vérité de celle-ci, d'autant plus que le résultat est le même: fort de la certitude révélée par le *Cogito*, Descartes affirmera l'infaillibilité de l'intuition d'une idée claire et distincte. Pascal, de son côté, attribue à l'homme 'une idée de la vérité, invincible à tout le pyrrhonisme' (B. 395). La ressemblance est frappante, mais illusoire. Dans le même texte, Pascal nous rappelle notre 'impuissance de prouver, invincible à tout le dogmatisme' (*Id.*), et cette formule nous montre à quel point il s'éloigne du cartésianisme. En effet, pour Descartes, prouver et connaître vont toujours ensemble. Nous ne devons recevoir en notre créance que ce que nous pouvons démontrer. Pascal, ici, sape tout le système.

(2°) Faiblesse de la raison

Notre raison est la partie la plus faible de notre équipement intellectuel. C'est d'elle avant tout que Pascal se méfie. Descartes, au contraire, ne fait confiance qu'à elle. En sa faveur, il néglige même un peu trop l'usage des expériences. Il la croit capable d'arriver un jour au bout de la chaîne des problèmes et de tout résoudre. Pour Pascal, 'la dernière démarche de la raison est de reconnaître qu'il y a une infinité de choses qui la surpassent; elle n'est que faible si elle ne va jusqu'à connaître cela' (B. 267).

(3°) Nihilisme scientifique

Cette faiblesse explique pourquoi nous trouvons chez Pascal des affirmations, surprenantes de la part d'un savant, qui constituent une manière de doute intégral en matière de connaissance. 'Il se peut faire qu'il y ait de vraies démonstrations; mais cela n'est pas certain' (B. 387). Cette réticence devant la raison, à laquelle le cartésianisme fait entièrement et uniquement confiance, montre à quel point Pascal, en dépit de ce qu'on a pu dire, est éloigné de Descartes.

(II) 'Descartes inutile et incertain' pour la morale

La distance qui sépare les deux hommes sur le plan scientifique n'est cependant rien en regard de leur différence d'attitude en morale.

(A) Ordre d'importance

Dans la liste des sciences, Descartes place la morale à la fin. Cela est révélateur du peu d'intérêt qu'il y prend. Il dira, certes, que la morale est la plus importante des préoccupations philosophiques, et qu'elle est placée à la fin, car elle s'appuie sur les autres sciences; mais, en pratique, il la négligera. Dans le *Discours de la Méthode*, il nous donne quelques principes provisoires de conduite qui devraient être remplacés par une morale définitive fondée sur la raison lorsque le temps en serait venu. Mais ce moment n'arriva jamais pour Descartes et nous n'avons de lui que des préceptes peu originaux en matière d'éthique.

(B) Manque d'humilité

La brièveté de sa vie peut expliquer cette lacune. Il n'en reste pas moins que le système cartésien est un terrain peu favorable à l'éclosion d'une morale. L'homme éprouvera d'autant plus le besoin d'être guidé moralement qu'il aura le sentiment de sa propre faiblesse. Le philosophe devra donc la lui rappeler, et c'est ce que Pascal fait sans cesse. Descartes, au contraire, persuade l'homme de sa propre grandeur. Point de limites à ce qu'il peut accomplir en jugeant de tout par lui-même. Cette philosophie optimiste favorise un orgueil incompatible avec l'humble recherche d'une vie juste et sage.

(C) Pascal socratique

Le sacrifice de la morale au profit de la science, qui caractérise le cartésianisme, irrite Pascal au plus haut point. Pour lui, au contraire, la science mérite d'être sacrifiée à la morale: 'la science des choses extérieures ne me consolera pas de l'ignorance de la morale, au temps d'affliction; mais la science des mœurs me consolera toujours de l'ignorance des sciences extérieures' (B. 67). Ce renoncement à la philosophie naturelle fait penser à Socrate, bien que les motifs soient inverses. Pour Socrate, essayer de percer les secrets de l'univers est un sacrilège, car c'est percer les secrets des dieux qui ont fait le monde et l'habitent. Pour Pascal, l'univers est muet et ne mène pas à Dieu. C'est pour cette raison qu'il faut renoncer à connaître la nature, car cela est inutile. Quoi qu'il en soit de ces différences, les deux moralistes se rejoignent sur les points essentiels. Ils abandonnent l'un et l'autre l'idée d'une philosophie qui serait à la fois une sagesse et une connaissance, la première étant fondée sur la seconde. Ils ne croient plus que l'homme ait besoin de connaître le monde pour s'y guider. Ils renoncent à l'ancien rêve de philosophie totale, que Descartes, bien malencontreusement, essaie de ressusciter en le modernisant : le rêve dogmatique. Pascal, certes, sent que la morale doit être fondée, mais ce sera sur la religion, et non pas sur la science. C'est notre destinée qui importe pardessus tout, et non l'univers, non 'l'opinion de Copernic', mais la question 'de savoir si l'âme est mortelle ou immortelle' (B. 218).

(III) 'Descartes inutile et incertain' en religion

Si la négligence de la morale est pour Pascal une raison de critiquer Descartes, combien plus encore le seront les insuffisances de celui-ci en matière de religion.

(A) Dieu des philosophes

Le système de Descartes, certes, fait la part belle à Dieu. Les fondements de la métaphysique, dont le *Discours de la Méthode*, dans la quatrième partie, retrace l'acquisition progressive et méthodique, comprennent Dieu. Non seulement Dieu est un des premiers éléments découverts, mais il garantit les autres. Si l'on passe de la genèse du cartésianisme à la genèse du monde selon le cartésianisme, on constate que Dieu occupe le centre. Tout dépend de lui. Il a créé le monde et le maintient continuellement en ordre, en fonctionnement harmonieux, alors que, s'il lui retirait son attention, tout l'univers tomberait dans le chaos. Malgré cela, Pascal estime que Descartes 'aurait bien voulu, dans toute sa philosophie, se pouvoir passer de Dieu ; mais il n'a pu s'empêcher de lui faire donner une chiquenaude, pour mettre le monde en mouvement ; après cela, il n'a plus que faire de Dieu' (B. 77). Cette accusation, pour injuste qu'elle soit, éclaire le fond du problème : pour Pascal, le Dieu que Descartes rencontre à la suite de déductions purement intellectuelles, c'est une idée, l'idée de parfait. Ce n'est pas un Dieu personnel. L'effort de Descartes est 'inutile' parce qu'il nous conduit au Dieu des philosophes, alors que le seul Dieu qui puisse nous sauver est le Dieu en Jésus-Christ.

(B) Descartes ne conduit pas au Christ

Descartes ne nous conduit pas vers une rencontre personnelle avec Dieu. Il sépare la religion de la philosophie, et parle de Dieu dans le langage de la raison, alors que 'Dieu [est] sensible au cœur, non à la raison' (B. 278). Il ne rejette certes pas Jésus-Christ dans sa vie personnelle, mais il isole la foi du reste de son enquête, alors que, pour Pascal, toute philosophie devrait conduire à elle.

(c) Les preuves

Enfin, le système cartésien prétend demontrer l'existence de Dieu. Nous avons déjà vu ce que Pascal pense en général de la possibilité de prouver quoi que ce soit avec notre raison faible. Mais essayer de prouver Dieu pose infiniment plus de problèmes que toute autre forme de raisonnement. Des failles purement rationnelles peuvent être relevées dans les preuves de l'existence de Dieu, et Kant, au siècle suivant, les exposera de façon définitive. En ce sens, Descartes est, ici aussi, incertain. Mais il y a des arguments théologiques, beaucoup plus graves, qui condamnent ses preuves au nom de l'inutilité. Dieu ne veut pas pouvoir être prouvé rationnellement, et l'a rendu impossible. Pas plus qu'il ne s'est révélé dans un Messie glorieux, il ne se révèle à notre raison. '*Dieu s'est voulu cacher*' (B. 585). Il se donne par la grâce de son Esprit-Saint. Outre leur totale inutilité et leur incertitude, les démarches 'pénibles' de Descartes en vue de démontrer l'existence de Dieu ont une prétention presque sacrilège à vouloir se passer de la grâce divine et à trouver Dieu sans qu'il soit besoin de se donner à lui.

Conclusion

L'ambition de 'composer la machine' et d'expliquer le monde dans les moindres détails n'est peut-être pas aussi condamnable que Pascal le pensait. Certes, Descartes a fait preuve de précipitation, et son tort est d'avoir voulu construire tout le système lui-même. Néanmoins, le corps des sciences qui s'est établi depuis lui, génération après génération, semble bien tendre vers un ensemble où tous les éléments s'articulent les uns avec les autres, comme il l'avait voulu. C'est sur le plan religieux que les reproches de Pascal peuvent porter, dans la mesure où Descartes voulait être un philosophe chrétien. Pascal n'hésite pas à lui suggérer que s'il veut être chrétien, il lui faut renoncer à sa philosophie. L'hostilité de Pascal nous révèle une contradiction que Descartes n'a jamais sentie, entre le christianisme et le cartésianisme.

François Mouret PASCAL

2

'Le cœur a ses raisons, que la raison ne connaît point.' (B. 277)

Introduction

En tant que mathématicien et physicien, Pascal est averti que la découverte scientifique des choses ne peut être faite que par l'exercice rigoureux de la raison et par une pratique constante de l'expérience. On s'attendrait donc à ce que cet homme de science méprisât le cœur et ses illogismes. Mais il n'en fait rien. Il va même jusqu'à réhabiliter cet organe auquel il attribue une fonction comparable à celle de l'intellect. Ainsi il déclare : 'le cœur a ses raisons, que la raison ne connaît point'. La question est alors de savoir si la connaissance est donnée par un 'sentiment' (B. 3) immédiat, par un 'instinct' (B. 344) qui consiste à 'pénétrer d'une vue' (B. 3) ce qu'on observe ou bien si elle est le résultat de l'activité de 'l'esprit' qui cherche à prouver et procède 'par principe et démonstration' (B. 283) ? Quel est donc le rôle respectif joué par ces 'deux natures' (B. 344) qui coexistent en l'homme, par ces 'ordres' (B. 283) distincts et opposés ? Et laquelle de ces deux puissances est-elle souveraine ?

(I) Les raisons du cœur précèdent celles de la raison

Constatant, à tout propos, que 'rien ne [nous] montre la vérité' (B. 83) car notre intelligence est faible, Pascal est amené à admettre que ce sont uniquement les raisons du cœur qui assurent les premiers fondements de la connaissance.

(A) Trop faible, la raison ne peut connaître

La 'corruption de la raison' (B. 440) est telle, en effet, que 'l'homme n'est qu'un sujet plein d'erreur' (B. 83). Si 'tout l'abuse' de la sorte, c'est que 'ces deux principes de vérités, la raison et les sens, outre qu'ils manquent chacun de sincérité, s'abusent réciproquement l'un l'autre. Les sens abusent la raison par de fausses apparences' (*Id.*). Victime de ces puissances trompeuses qui lui font 'la guerre' (B. 82), l'esprit humain l'est plus encore de l'imagination. Cette 'maîtresse d'erreur et de fausseté', cette 'superbe puissance, ennemie de la raison, qui se plaît à la contrôler et à la dominer', qui la fait 'croire, douter, nier', la fait aussi céder et 'dispose de tout'; et 'la raison a beau crier, elle ne peut mettre le prix aux choses' (*Id.*). Etant donné cet état misérable qui est le nôtre, il faut donc convenir que nous n'avons 'aucun principe juste du vrai' (*Id.*) et que nous sommes 'incapables de savoir certainement' (B. 72). Tout au plus pouvons-nous atteindre à une connaissance partielle en usant de notre 'intelligence' limitée qui 'tient dans l'ordre des choses intelligibles le même rang que notre corps dans l'étendue de la nature' (*Id.*). Mais ce savoir fragmentaire est dérisoire et trop morcelé pour être de quelque utilité car 'toutes choses étant causées et causantes, aidées et aidantes, médiatement et immédiatement, et toutes s'entretenant par un lien naturel et insensible qui lie les plus éloignées et les plus différentes', il est 'impossible de connaître les parties sans connaître le tout non plus que de connaître le tout sans connaître particulièrement les parties' (*Id.*). Or la raison qui est fautive 's'assoupit ou s'égare' constamment, 'manque d'avoir tous ses principes présents' (B. 252). Si bien que l'homme, apercevant seulement quelque 'apparence du milieu des choses' désespère de connaître 'leur principe' ou 'leur fin' et de percer leur 'secret impénétrable' (B. 72). Faut-il alors se prendre à douter de tout et admettre définitivement 'notre impuissance à connaître' (*Id.*)? 'On n'en peut venir là', répond Pascal qui ajoute: 'la nature soutient la raison impuissante, et l'empêche d'extravaguer jusqu'à ce point' (B. 434), en lui faisant concevoir, dans une 'dernière démarche', qu' 'il y a une infinité de choses qui la surpassent' (B. 267). Et c'est en prenant ainsi conscience de sa faiblesse que l'esprit cessera de se fonder sur 'de mauvaises raisons pour prouver des effets de la nature' et parviendra enfin à 'recevoir les bonnes lorsqu'elles sont découvertes' (B. 96).

(B) La raison cède au cœur

Mais pour pouvoir trouver ces bonnes raisons, il fut chercher la vérité 'de tout votre CŒUR' (B. 226), déclare Pascal à son lecteur, autrement dit, il est nécessaire que 'notre raison' renonce à ses 'superbes agitations' et s'en remette au sentiment par 'simple soumission' (B. 434). Cette préséance du cœur est en fait dans l'ordre même de la nature des choses. Et à ce propos, Pascal cite M. de Roannez qui analysait en ces termes le déroulement de l'action de connaître: 'les raisons me viennent APRES, mais D'ABORD la chose m'agrée ou me choque sans en savoir la raison, et cependant cela me choque par cette raison que je ne découvre qu' ENSUITE'. Or cette observation, Pascal la corrige de telle sorte que l'ordre établi devient absolument irréversible. Il ne croit pas, en effet, 'que cela choquait par ces raisons qu'on trouve après, mais qu'on ne trouve ces raisons que parce que cela choque' (B. 276). Ainsi, 'tout notre raisonnement se réduit à céder au sentiment' (B. 274), dans la mesure où il ne peut se développer qu'à partir de vérités premières que seul le cœur est apte à percevoir.

(c) C'est le cœur qui connaît

Et de fait, ces fondements de notre connaissance ne sont établis que par une intuition de l''instinct' (B. 281). C'est de cette façon 'que nous connaissons les premiers principes, et c'est en vain que le raisonnement qui n'y a point de part, essaye de les combattre' (B. 282), car chaque vérité sentie par le cœur est 'invincible à tout le pyrrhonisme' (B. 395) et ne saurait être réfutée de façon persuasive : 'nous savons que nous ne rêvons point, explique Pascal ; quelque impuissance où nous soyons de le prouver par raison, cette impuissance ne conclut autre chose que la faiblesse de notre raison, mais non pas l'incertitude de toutes nos connaissances'. Et il ajoute à l'intention des esprits logiques qui ne seraient point encore convaincus : 'il est aussi inutile et aussi ridicule que la raison demande au cœur des preuves de ses premiers principes, pour vouloir y consentir, qu'il serait ridicule que le cœur demandât à la raison un sentiment de toutes les propositions qu'elle démontre, pour vouloir les recevoir' (B. 282). Il faut donc 'mettre notre foi dans le sentiment' qui 'agit en un instant' et qui 'toujours est prêt à agir' (B. 252). Ainsi Pascal confirme la prééminence indiscutable du cœur sur l'esprit et n'hésite pas, d'autre part, à formuler le souhait que nous puissions nous passer complètement de la raison : 'plût à Dieu, s'écrie-t-il, que nous n'en eussions [. . .] jamais besoin, et que nous connussions toutes choses par instinct et par sentiment !' (B. 282), car alors nous saurions avec certitude, immédiatement et absolument.

(II) La raison conclut ce que sent le cœur

Serait-ce à dire, par conséquent, que le cœur est tout-puissant, qu'il est tout-connaissant et qu'il convient de se défier constamment de la raison trompeuse et inutile ?

(A) Le cœur a ses limites

Non, car la misère de l'homme déchu est telle que le cœur lui-même a ses limites et qu'il est vain d'espérer tout savoir au moyen seulement des intuitions du sentiment : 'la nature nous a refusé ce bien', constate Pascal qui poursuit : 'elle ne nous a au contraire donné que très peu de connaissances de cette sorte ; toutes les autres ne peuvent être acquises que par raisonnement' (*Id.*). Il y a donc lieu de faire appel à la faculté de comprendre et de démontrer, sous peine de commettre, en la méprisant, une erreur sur la condition humaine. Aussi l'auteur des *Pensées* déclare-t-il avec bon sens : 'il faut savoir douter où il faut, assurer où il faut, en se soumettant où il faut. Qui ne fait ainsi n'entend pas la force de la raison. Il y [en] a qui faillent contre ces trois principes, ou en assurant tout comme démonstratif, manque de se connaître en démonstration ; ou en doutant de tout, manque de savoir où il faut se soumettre ; ou en se soumettant en tout, manque de savoir où il faut juger' (B. 268). Quel est alors le rôle que joue la raison dans l'expérience de la connaissance des choses ?

(B) La raison démontre en s'appuyant sur les raisons du cœur

Cette fonction de l'intellect consiste à raisonner à partir des vérités premières dont le sentiment peut seul nous assurer : 'c'est sur ces connaissances du cœur et de l'instinct qu'il faut que la raison s'appuie, et qu'elle y fonde tout son discours. (Le cœur sent qu'il y a trois dimensions dans l'espace, et que les nombres sont infinis ; et la raison démontre ENSUITE qu'il n'y a point deux nombres carrés dont l'un soit double de l'autre. Les principes se sentent, les propositions se concluent ; et le tout avec certitude, quoique par différentes voies' (B. 282). L'activité de la raison complète donc celle du cœur à laquelle elle fait suite. Il y a là un ordre qui correspond aux aptitudes de l'homme à connaître. Et le champ d'action de chaque faculté est nettement délimité : c'est le cœur qui perçoit d'abord les vérités fondamentales qui ne peuvent être prouvées, puis, incapable de parvenir à 'voir d'une vue' (B. 3) l'ensemble des choses, il s'en remet à la raison qui, à partir des principes qui lui sont donnés, a toute possibilité de progresser par démonstrations et d'accumuler des connaissances non point immédiates, comme celles du sentiment, mais successives et partielles.

(C) La raison est 'une faculté de *moyens*'

Ainsi la raison apparaît comme 'une faculté de *moyens*' (B, p. 294), pour reprendre la définition proposée par L. Brunschvicg, puisqu'elle doit céder la première place au cœur. Et de fait, 'il n'y a rien de si conforme à la raison que ce désaveu de la raison' (B. 272). D'ailleurs, 'la raison ne se soumettrait jamais, si elle ne jugeait qu'il y a des occasions où elle se doit soumettre. Il est donc juste qu'elle se soumette, quand elle juge qu'elle doit se soumettre' (B. 270). Mais alors une question se pose : l'entendement qui intervient en second achève-t-il à lui seul la découverte de la vérité des choses ou doit-il à nouveau s'effacer devant le sentiment ?

(III) Le cœur conclut ce que démontre la raison

Tout savoir absolu se confondant avec la découverte de Dieu qui, 'ayant fait le ciel et la terre [. . .], a voulu faire des êtres qui le connussent' (B. 482), il convient donc de rechercher si la foi s'obtient par une méditation de l'esprit ou par un élan du cœur, afin de préciser au moyen de quelle puissance l'homme peut atteindre à une connaissance parfaite.

(A) La raison prépare à la connaissance de Dieu

'Que si les choses naturelles [. . .] surpassent [la raison], que dira-t-on des surnaturelles' (B. 267), se demande Pascal? Et le fait est que, de même qu'il ne peut démontrer les premiers principes, l'entendement ne peut parvenir à découvrir la fin de tout savoir, car la grâce n'est pas 'un don de raisonnement'. La preuve en est que 'les autres religions ne disent pas cela de leur foi; elles ne donnaient que le raisonnement pour y arriver, qui n'y mène pas néanmoins' (B. 279). Mais cela ne veut pas dire qu'il faille, pour autant, faire fi de tout concours de l'esprit. Si, en effet, 'on choque les principes de la raison, notre religion sera absurde et ridicule' (B. 273). Il faut donc respecter la logique propre à la faculté de comprendre, voire y faire appel, ne serait-ce que pour préparer à chercher Dieu ceux qui ne l'ont point encore trouvé. Pascal déclare effectivement qu'à ces hommes-là 'nous ne pouvons [. . .] donner [la religion] que par raisonnement, en attendant que Dieu la leur donne par sentiment de cœur, sans quoi la foi n'est qu'humaine et inutile' (B. 282).

(B) Mais la raison doit céder au cœur

Ainsi, la connaissance suprême n'est possible que si la raison se soumet à nouveau. Et c'est pourquoi Pascal remarque: 'ne vous étonnez pas de voir des personnes simples croire sans raisonner. Dieu [. . .] incline leur cœur à croire. On ne croira jamais d'une créance utile et de foi, si Dieu n'incline le cœur; et on croira dès qu'il l'inclinera' (B. 284). Ce qui revient à dire que non seulement le sentiment supplante l'esprit, mais encore qu'il peut 'raisonner' plus sûrement que lui. N'est-il pas remarquable, en effet, que 'ceux que nous voyons Chrétiens sans la connaissance des prophéties et des preuves ne laissent pas d'en juger aussi bien que ceux qui ont cette connaissance? Ils en jugent par le cœur, comme les autres en jugent par l'esprit. C'est Dieu lui-même qui les incline à croire; et ainsi ils sont très efficacement persuadés' (B. 287). C'est donc par 'sentiment du cœur' (B. 282) que les connaissances que développe la raison sont poussées jusqu'à leur fin.

(C) Seul le cœur connaît Dieu avec certitude

Si c'est véritablement 'le cœur qui sent Dieu, et non la raison', et si encore 'la foi' c'est 'Dieu sensible au cœur, non à la raison' (B. 278), il en résulte que seul le cœur connaît Dieu. Mais peut-on se fier entièrement à ces raisons du sentiment? La question est d'autant plus légitime que 'les hommes prennent souvent leur imagination pour leur cœur' (B. 275) qui, dès lors, cesse d'être un instrument de connaissance sûr. Et Pascal est conscient du danger: 'la fantaisie est semblable et contraire au sentiment, écrit-il, de sorte qu'on ne peut distinguer entre ces contraires. L'un dit que mon sentiment est fantaisie, l'autre que sa fantaisie est sentiment. Il faudrait avoir une règle. La raison s'offre, mais elle est ployable à tous sens; et ainsi il n'y en a point' (B. 274). Si fait. Il y a la foi qui ne saurait passer pour une chimère, qui n'est point illusoire mais certaine, car elle ne peut être qu''un don de Dieu' (B. 279). Et, en conséquence, le sentiment qui permet d'arriver jusqu'à Dieu est bien 'une preuve convaincante de [. . .] vérité' (B. 434) dont il n'y a pas lieu de douter puisque Dieu lui-même en est le garant et l'inspirateur. Et c'est ainsi que le cœur conclut définitivement les démonstrations de la raison.

Conclusion

Selon Pascal, le cœur est donc le premier instigateur de toute connaissance et lui seul encore offre la possibilité d'atteindre la certitude, c'est-à-dire Dieu, étant donné que la foi n'est jamais une conquête de l'esprit. Dans ces conditions, la raison dont l'activité se limite à démontrer des propositions qui se situent entre les principes et les fins établis et perçues par une intuition du sentiment, fait alors figure de moyen terme. Mais l'entendement, bien que faible, n'est pas méprisable. Chercher à 'exclure la raison' serait un 'excès' égal à vouloir 'n'admettre' (B. 253) qu'elle, car il n'est pas donné à l'homme déchu de tout connaître par instinct avec certitude. Aussi, la découverte de la vérité des choses sera-t-elle d'autant plus assurée que, précisément, le cœur et la raison, chacun dans son ordre, tendront vers Dieu dont 'la conduite [. . .] est de mettre la religion dans l'esprit par les raisons, et dans le cœur par la grâce' (B. 185). Cependant, il n'en reste pas moins que le sentiment l'emporte sur l'intellect du fait même que le cœur qui sent parle le langage de Dieu, tandis que la raison qui prouve n'est qu' 'humaine' (B. 248).

Bernard Jean PASCAL

3

'La vraie morale se moque de la morale.' (B. 4)

Introduction

La philosophie de Pascal s'exprime souvent par paradoxes. Nous ne devons pas nous étonner de ces phrases, brèves et aiguës, qui semblent enserrer une contradiction, se nier elles-mêmes. C'est la démarche dialectique : tout ce qui est authentique se cache sous une apparence qui est son contraire, et qu'il faut nier. La Pensée 4 nous offre plus d'un exemple de cette forme de raisonnement : 'se moquer de la philosophie, c'est vraiment philosopher', et, plus facile à saisir : 'la vraie éloquence se moque de l'éloquence'. Le secret de ces formules, c'est que le mot clef y est pris dans des sens légèrement différents : l'éloquence est un ensemble de règles : la rhétorique scolaire. La véritable éloquence est, comme l'esprit ou la séduction, une qualité de l'homme individuel. Quand il écrit : 'la vraie morale se moque de la morale', Pascal compare donc deux conceptions différentes de la morale et notre tâche consistera autant à définir qu'à opposer ces notions.

(I) Pascal attaque une morale faite de règles

La morale traditionnelle est comparée par Pascal à la science, et l'esprit de cette morale n'est autre que l' 'esprit de géométrie'. Face à lui, l' 'esprit de finesse' dicte une morale de l'intuition 'qui est sans règles' (B. 4). Comme nous le suggère l'expression 'se moque de', la véritable morale commencera par une sorte d'immoralisme créateur qui consiste à ne pas suivre les règles, en se plaçant au-dessus d'elles. Avant d'examiner ce qu'il faut penser de cet espoir de transcender la morale, analysons les reproches que l'on peut faire, avec Pascal, aux codes moraux.

(A) La casuistique

A l'origine de l'hostilité de Pascal pour les règles morales, il faut chercher l'attitude des Jésuites. Chez eux, la règle devient l'instrument d'une morale à bon marché. Ce qui est répréhensible, c'est d'abord leur désir d'adapter une loi, dans laquelle ils voient un absolu, aux nécessités de la vie, qu'ils considèrent comme essentiellement contingentes. Leur application du théorique au pratique s'accompagne de mille accommodements. Mais surtout, ils font de la règle, qui doit être un moyen en vue d'une fin, une fin en soi. Il suffit, pour avoir bonne conscience, de suivre la lettre des commandements. Ce pharisaïsme scandalisait Pascal.

(B) La règle morale est négative

Une conséquence du formalisme peut se déduire de ce qui précède : c'est la sclérose inévitable, la pétrification d'une morale des règles. Si nous considérons la plupart des règles morales particulières, nous constatons qu'elles sont toujours négatives : 'tu ne tueras point', 'il ne faut pas mentir', etc. La règle cesse d'être vivante et devient une interdiction aliénante. Remarquons que parfois, en faisant l'historique d'un commandement, on peut découvrir le rôle positif et authentique joué par lui à l'origine. Avant l'ordre de ne point tuer, il y avait la loi du talion. Mais les règles demeurent après que les conditions qui les ont suscitées ont cessé d'être. Bientôt, leur inadaptation se fait sentir.

(C) Echec de la morale des règles

A cause de son aspect négatif, la règle morale ne peut que contrôler l'homme. Elle ne parvient jamais à l'améliorer. Pascal voit là son plus grave échec : 'on a fondé et tiré de la concupiscence des règles admirables de police, de morale et de justice ; mais dans le fond, ce vilain fond de l'homme, ce *figmentum malum*, n'est que couvert : il n'est pas ôté' (B. 453). Dans l'ordre de la chair, il n'y a que des solutions de rechange. La morale traditionnelle accepte l'imperfection et la perpétue. La morale que souhaite Pascal consisterait à quitter l'ordre de la chair pour pénétrer dans l'ordre de la charité.

(II) La vraie morale

Se méfier du formalisme, souligner les insuffisances de la règle en morale, il n'y a rien là de particulièrement original. Avant Pascal, la scolastique, après lui, Kant, insistent sur la nécessité d'une intention qui doit en elle-même apporter une garantie de moralité. Mais la distinction que Pascal établit entre l'esprit et la lettre, l'intentionalité et la règle, ne va-t-elle pas plus loin que ne vont les morales d'inspiration traditionaliste ?

(A) Une morale de conflits

La recherche de la 'vraie morale' conduit nécessairement à des conflits avec les règles. Pascal appelle sa morale sans règles la 'morale du jugement' et la rapproche de l'esprit de finesse (B. 4). Or, l'esprit de finesse est le pouvoir d'appréhender un problème 'd'un seul regard' (B. 1), d'en saisir simultanément tous les aspects dans une large et profonde intuition. Le 'héros' moral, le 'saint', ou, pour conserver cette terminologie bergsonienne, tout partisan d'une morale 'ouverte' qui essaie de replacer les questions morales dans une vaste perspective, se heurte à la petitesse des règles, car celles-ci dépendent plutôt de l'esprit de géometrie. Mais il doit lancer un défi à ces règles, et, en ce sens, la vraie morale se moque de la morale.

(B) L'exemple du Christ

C'est par ce conflit dialectique du 'jugement' et de l''esprit' que la morale fait des progrès. La meilleure illustration que nous puissions trouver de ce conflit nous est donnée par l'exemple constamment médité du Christ. L'éthique des Pharisiens, minutieusement codifiée, représente exactement la 'morale de l'esprit', caducque et stérile. Face à elle, le défi du Christ prend la forme d'un commandement unique: 'aimez'. Pour les Pharisiens, le Christ est immoral, car il viole sans cesse les lois religieuses, entretient des relations douteuses, propose des conseils paradoxaux. Et il 'se moque' d'eux, par sa nouvelle morale, comme le montrent de nombreuses scènes de l'Evangile et comme l'atteste la supériorité ultérieure de la morale chrétienne. Le progrès conduisant de la morale juive à la morale chrétienne a exigé le passage par un conflit, une antithèse: la 'moquerie' d'un apparent immoralisme.

(C) La charité

Pour Pascal, l'exemple et le commandement du Christ sont toujours valables. La vraie morale qu'il nous recommande est la morale religieuse, ou, pour mieux dire, la morale-religion, car chez lui morale et doctrine se soutiennent et se justifient réciproquement. La vraie morale consiste à renoncer à la concupiscence, à se haïr soi-même en aimant Dieu, à s'unir au Christ dans une union extatique, en un mot à transcender la 'chair' pour entrer dans l'ordre de la charité qui n'a point besoin de règles. L'exemple vécu du Christ est une perpétuelle création et invention qui fait pressentir la morale existentialiste. Le 'se moque' de la pensée que nous examinons exprime l'irréductibilité radicale de l'ordre de la charité à ceux de la chair et de l'esprit.

(III) Les dangers du mépris des règles

La morale créatrice dont Pascal se fait le défenseur aboutit à la religion et finit par se confondre avec elle. Dans cette perspective mystique, elle atteint à une grandeur indiscutable. Mais séparée de la religion, cette morale ne présenterait-elle pas d'insurmontables difficultés? Notre étude ne serait pas complète si nous n'examinions maintenant le mépris des règles sous l'angle purement technique de la science morale.

(A) Lois nécessaires

Pascal propose un dangereux paradoxe. Dangereux, son mépris des règles, car la question n'est posée que du point de vue du sujet choisissant son action. Mais les règles ne servent pas qu'à déterminer mon acte. Elles me renseignent sur le comportement probable d'autrui. L'intuition, n'étant pas communicable, n'offre pas un système de références acceptable. Les lois ont toujours été un besoin pour l'homme. Pascal laisse complètement de côté l'aspect sociologique des règles. Elles constituent une 'conscience collective' de l'humanité, ou, du moins, d'une société à laquelle elles apparaissent comme une forme de protection.

(B) Lois universelles

Opposer l'intuition aux lois risque de désorienter l'homme. Mais aussi, philosophiquement, cette attitude ne peut entièrement se défendre car on ne se débarrassera jamais complètement de la notion de loi. Lorsque les 'héros' et les 'saints', peu satisfaits des règles morales de leur époque, désirent élargir le problème et donner au monde un principe général pour le guider au lieu d'un code pour le limiter, ils ne font, le plus souvent, que retourner à une loi qui existait déjà. Le commandement d'amour avait toujours figuré dans la loi juive. Lorsque Antigone désobéit à la loi civile représentée par l'ordre de Créon, elle ne fait que renvoyer aux commandements religieux sur la sépulture des défunts. Les lois morales sont universelles. L'effort créateur du héros moral, loin d'être absolu, doit accepter ses limites dans un réseau de lois morales générales.

(C) L'immoralisme

En dehors de ces limites, nous ne pouvons avoir que l'immoralisme. Et certes, lorsqu'on parle de se moquer de la morale, la difficulté est de distinguer entre l'absence totale de moralité, faute de critères, et une morale qui se donne ses propres critères pour dépasser la moralité commune. Il faut du temps pour percevoir, *a posteriori*, si telle ou telle réforme a eu des conséquences morales ou immorales. On a récemment aboli des 'lois de moralités', comme celles qui réprimaient l'homosexualité, au nom de la morale. Il est encore trop tôt pour que l'on puisse affirmer avec certitude que les conséquences ont été aussi louables que les intentions. Nous avons donc besoin de critères immédiats pour juger les actes, et nous en suggèrerons deux. Le désintéressement, tout d'abord, nous garantira de la pureté des motifs. Si quelqu'un se propose de suivre une ligne d'action, ou milite pour une réforme, en désaccord avec la morale de son temps, la morale est plus probablement de son côté si son acte ou sa réforme ne lui profitent pas personnellement. Ensuite, le principe d'universalisation de la conduite, tel que l'a défini Kant, nous offrira, nous offre toujours, un critère certain de moralité : 'agis uniquement d'après la maxime qui fait que tu peux vouloir en même temps qu'elle devienne une loi universelle'. Car si ta maxime était injuste, tu en deviendrais toi-même la victime.

Conclusion

Nous découvrons donc, au terme de notre analyse, la nécessité d'enlever un peu de sa généreuse audace à la remarque de Pascal. Mais, compte tenu de certaines réserves, nous devons en admirer la profondeur et la fécondité. Pascal nous redit que rien ne s'acquiert sinon par des conflits et des dépassements. Dépassement de la règle, mais surtout dépassement de nous-mêmes. Et cette dialectique affirme la supériorité de l'intuition sur l'esprit de géométrie. La vraie morale, dont nous devons aimer l'élan tout en nous en méfiant un peu, c'est la morale du cœur.

François Mouret PASCAL

4

'Est-il juste de dire que les *Pensées* de Pascal, écrites dans un but religieux, sont cependant le livre d'un moraliste ?' (G. Grand)

Introduction

Que l'apologiste de la religion chrétienne, tout occupé à préparer un ouvrage qui, contrairement à celui de Montaigne, est 'fait pour porter à la piété' (B. 63), et à ne distinguer parmi les créatures que 'trois sortes de personnes' selon qu'elles 'servent Dieu, l'ayant trouvé', 's'emploient à le chercher, ne l'ayant pas trouvé', ou bien 'vivent sans le chercher ni l'avoir trouvé' (B. 257), déclare par ailleurs qu''on a bien de l'obligation à ceux qui avertissent des défauts', car 'ils préparent l'exercice de la correction et l'exemption' (B. 535) de ces fautes, amène le lecteur à se demander si les *Pensées*, 'écrites dans un but religieux', ne sont pas 'cependant le livre d'un moraliste', c'est-à-dire d'un écrivain qui s'attache à décrire les mœurs, à les amender, à former la nature morale de l'homme. Et s'il en est ainsi, quelle relation Pascal établit-il alors entre ses réflexions sur les vices qu'il observe et son propos de susciter le désir de Dieu ? Maximes de morale ? Méditations métaphysiques ? Que sont donc les *Pensées* ?

(I) Moraliste impuissant, Pascal constate la misère de l'homme

Il est vrai que Pascal se livre à de nombreuses considérations sur le comportement des êtres dont il remarque les faiblesses innombrables, mais il semble que ce soit sans souci de réformer ce que cette conduite présente de condamnable.

(A) 'L'homme n'est [. . .] que déguisement'

L'auteur des *Pensées* constate, en effet, que le dérèglement des mœurs provient de ce que 'tout le monde est dans l'illusion' (B. 335), au point qu''on ne fait que s'entre-tromper et s'entre-flatter' (B. 100). C'est que l'homme, victime des 'puissances trompeuses', 'n'est qu'un sujet plein d'erreur' qui ne peut voir la vérité. 'Tout l'abuse' (B. 83). Et cette folie qui consiste à prendre pour 'principes ceux que l'imagination [. . .] a témérairement introduits en chaque lieu' (B. 82) est cause, précisément, de la corruption partout observée par le moraliste. Et de fait, Pascal remarque que 'si les médecins n'avaient des soutanes et des mules, et que les docteurs n'eussent des bonnets carrés et des robes trop amples de quatre parties, jamais ils n'auraient dupé le monde qui ne peut résister à cette montre si authentique' (*Id.*). Et il en va de même au tribunal quand le 'geste hardi' de l'avocat, 'bien payé par avance', fait paraître la cause qu'il défend 'meilleure aux juges, dupés par cette apparence' (*Id.*). 'Ainsi la vie humaine n'est qu'une illusion perpétuelle' (B. 100) et l'homme 'qui ne hait en soi son amour-propre [. . .] est bien aveuglé' (B. 492) et 'n'est donc que déguisement, que mensonge et hypocrisie, et en soi-même et à l'égard des autres' (B. 100).

(B) Cette misère morale détourne l'homme de sa condition

Et moraliste, Pascal continue de l'être, lorsque après avoir ainsi décrit les vices de ses semblables, il les commente afin d'en tirer certaines conclusions relatives à cette misère de la nature humaine qui est telle qu'elle détourne l'individu de sa propre condition, ce qui constitue, en fait, la pire des tromperies. Car n'est-il pas vrai qu'au lieu de considérer la multitude de ses défauts 'le monde' ne songe qu''à danser, à jouer du luth, à chanter, à faire des vers, à courir la bague, etc., à se battre, à se faire roi, sans penser à ce que c'est qu'être roi, et qu'être homme' (B. 146)? Faute donc d'avoir pu 'guérir' le mal moral qui les ronge, les humains 'se sont avisés, pour se rendre heureux, de n'y point penser' (B. 168). Et c'est ainsi qu'en nous aveuglant nous-mêmes, nous nous consolons de nos vices en nous abandonnant au 'divertissement' qui est cependant 'la plus grande de nos misères', puisque 'c'est cela qui nous empêche principalement de songer à nous, et qui nous fait perdre insensiblement. Sans cela, nous serions dans l'ennui, et cet ennui nous pousserait à chercher un moyen plus solide d'en sortir. Mais le divertissement nous amuse, et nous fait arriver insensiblement à la mort' (B. 171). Or cette analyse lucide du comportement de l'homme incite l'auteur des *Pensées*, à ne pas entreprendre de réformer des individus si désireux de s'illusionner sur eux-mêmes, en leur proposant des préceptes de bonne conduite.

(C) Moraliste sans l'être

De sorte que l'on peut dire que c'est parce qu'il est moraliste que Pascal cesse soudain de l'être. Toutes choses humaines étant finies, limitées et imparfaites, il n'est effectivement pas en notre pouvoir d'élaborer une morale suffisamment vraie et convaincante pour être suivie: 'ceux qui sont dans le dérèglement, explique Pascal, disent à ceux qui sont dans l'ordre que ce sont eux qui s'éloignent de la nature, et ils la croient suivre: comme ceux qui sont dans un vaisseau croient que ceux qui sont au bord fuient. Le langage est pareil de tous côtés. Il faut avoir un point fixe pour en juger. Le port juge ceux qui sont dans un vaisseau ; mais où prendrons-nous un port dans la morale' (B. 383)? N'y ayant donc aucune règle qui soit fondée avec certitude et les hommes étant 'si nécessairement fous', ce serait assurément 'être fou par un autre tour de folie, de n'être pas fou' (B. 414) et de se prendre pour un moraliste efficace. Aussi Pascal doute-t-il de l'utilité des châtiments que l'on inflige dans le dessein d'améliorer les mœurs, et pose cette question: 'faut-il tuer pour empêcher qu'il n'y ait des méchants? c'est en faire deux au lieu d'un' (B. 911)! Un tel refus de réformer provient de ce que le propos de l'auteur des *Pensées* est de pousser l'étude de l'homme plus avant que ne l'ont fait les écrivains qui traitent de la conduite des êtres. Miton, écrit-il à ce sujet, 'voit bien que la nature est corrompue, et que les hommes sont contraires à l'honnêteté; mais il ne sait pas POURQUOI ils ne peuvent voler plus haut' (B. 448). Il s'agit donc pour Pascal de s'opposer à ceux qui '*rem viderunt, causam non viderunt*' (B. 235), autrement dit, à 'toutes ces personnes [qui] ont vu les effets, mais [. . . qui] n'ont pas vu les causes', et qui 'sont à l'égard de ceux qui ont découvert les causes comme ceux qui n'ont que les yeux à l'égard de ceux qui ont l'esprit; car les effets sont comme sensibles, et les causes sont visibles seulement à l'esprit. Et quoique ces effets-là se voient par l'esprit, cet esprit est à l'égard de l'esprit qui voit les causes comme les sens corporels à l'égard de l'esprit' (B. 234). Impuissant à corriger les mœurs corrompues, Pascal s'attachera plutôt à rechercher la raison profonde de cette corruption.

(II) Pascal apologiste ou le moraliste de la créature

Or l'origine des vices observés par le moraliste ne peut être découverte que par le théologien qui seul est capable de comprendre et d'expliquer les créatures de Dieu. Et c'est ainsi que l'apologiste prend en charge la poursuite de cette enquête sur la nature morale de l'homme.

(A) La misère morale de l'homme ou la grandeur de la créature

Aussitôt le ton change pour parler de l'être humain: 'toutes ces misères-là mêmes prouvent sa grandeur', écrit alors Pascal qui précise: 'ce sont misères de grand seigneur, misères d'un roi dépossédé' (B. 398). Il s'agit bien là, en effet, d'une interprétation qui échappait au moraliste et que le chrétien peut seul donner. Mais de quoi l'homme est-il donc privé? De 'la vraie nature' et du 'véritable bien' qui, tous deux, sont perdus, de sorte que 'tout devient [. . .] nature' à la créature dépossédée, comme 'tout devient son véritable bien' (B. 426), ce qui explique la dépravation généralisée des mœurs. Néanmoins, nous ne devons pas sombrer dans le désespoir car, 'malgré la vue de toutes nos misères, qui nous touchent, qui nous tiennent à la gorge, nous avons un instinct que nous ne pouvons réprimer, qui nous élève' (B. 411) et nous porte à rechercher Dieu sans qui nous sommes dans un état de 'misère' (B. 60) effroyable. Ainsi, en comprenant que 'l'incarnation montre à l'homme la grandeur de sa misère, par la grandeur du remède qu'il a fallu' (B. 526), Pascal a trouvé la cause de la perversion des êtres que, moraliste, il observait en toute impuissance, et il peut alors déclarer: 'pour moi, j'avoue qu'aussitôt que la religion chrétienne découvre ce principe, que la nature des hommes est corrompue et déchue de Dieu, cela ouvre les yeux à voir partout le caractère de cette vérité; car la nature est telle, qu'elle marque partout un Dieu perdu, et dans l'homme, et hors de l'homme, et une nature corrompue' (B. 441).

(B) En Dieu est la vraie morale

Et une fois établi que nous ne sommes 'pas dans l'état de [notre] création' (B. 430), l'apologiste se fait moraliste et montre que les vraies vertus ne peuvent être acquises qu'en recherchant Dieu: 'nous sommes pleins de concupiscence; donc nous sommes pleins de mal; donc nous devons nous haïr nous-mêmes, et tout ce qui nous excite à autre attache qu'à Dieu seul' (B. 479). Et, s'adressant au libertin, Pascal dit tout le bien moral que procure ce parti d'aimer Dieu: 'vous serez fidèle, affirme-t-il, honnête, humble, reconnaissant, bienfaisant, ami sincère, véritable. A la vérité, vous ne serez point dans les plaisirs empestés, dans la gloire, dans les délices' (B. 233). Et il est d'autant plus assuré dans son propos qu'il sait lui-même que la grâce est purificatrice et qu'elle seule permet d'observer sans faillir un comportement irréprochable. Aussi, en toute humilité, Pascal peut-il faire ce long aveu de ses vertus qui sont chacune un don de Dieu: 'j'aime la pauvreté, parce qu'IL l'a aimée. J'aime les biens, parce qu'ils donnent le moyen d'en assister les misérables. Je garde fidélité à tout le monde, je [ne] rends pas le mal à ceux qui m'en font; mais je leur souhaite une condition pareille à la mienne, où l'on ne reçoit pas de mal ni de bien de la part des hommes. J'essaye d'être juste, véritable, sincère et fidèle à tous les hommes [...]. Voilà quels sont mes sentiments, et je bénis tous les jours de ma vie mon REDEMPTEUR QUI LES A MIS EN MOI, et qui, d'un homme plein de faiblesses, de misères, de concupiscence, d'orgueil et d'ambition, a fait un homme exempt de tous ces maux

PAR LA FORCE DE SA GRACE, à laquelle toute la gloire en est due, n'ayant de moi que la misère et l'erreur' (B. 550). Et c'est ainsi que le but religieux des *Pensées* se confond avec celui poursuivi par le moraliste.

(c) La grâce, ou par delà le bien et le mal

Mais cette jouissance de vertus que procure la grâce implique que l'on passe outre aux valeurs des morales 'particulières' (B. 912) que proposent les philosophes. Pourquoi? Parce qu'il y a 'deux états de la nature de l'homme' (B. 765) dans la mesure où la créature est soit déchue et dans l'ignorance de Dieu, soit élevée par la foi. Et à ces deux états correspondent deux éthiques fondamentalement opposées. A un 'premier degré', toutes les morales des hommes observent ce précepte: 'être blâmé en faisant mal, et loué en faisant bien'. Puis, à un 'second degré' (B. 501), dans l'état de béatitude, ces distinctions rigides, propres à des individus de nature corrompue, s'effacent et l'élu de Dieu qui possède le 'vrai bien' (B. 422) n'a plus lieu d''être ni loué ni blâmé' (B. 501). Et l'apologiste de la religion chrétienne donne la raison pour laquelle cette morale qui consiste 'en la grâce' (B. 523) se situe par delà le bien et le mal. Ainsi il déclare que ceux qui seront sauvés 'ignoreront leurs vertus, et les réprouvés la grandeur de leurs crimes' (B. 515), parce qu'effectivement 'le juste ne prend rien pour soi du monde, ni des applaudissements du monde; mais seulement pour ses passions, desquelles il se sert comme maître, en disant à l'une: *Va*, et: *Viens*. *Sub te erit appetitus tuus*. Ses passions ainsi dominées sont vertus: l'avarice, la jalousie, la colère, Dieu même se les attribue, et ce sont aussi bien vertus que la clémence, la pitié, la constance, qui sont aussi des passions' (B. 502). On comprend alors que Pascal 'blâme également, et ceux qui prennent parti de louer l'homme, et ceux qui le prennent de le blâmer' (B. 421), car ceux-là sont des moralistes qui n'ont pas senti que 'le christianisme est étrange' en ce sens qu''il ordonne à l'homme de reconnaître qu'il est vil, et même abominable, et lui ordonne de vouloir être semblable à Dieu' (B. 537).

(III) Moraliste de l'homme ou de la créature, Pascal est psychologue de l'être universel

Il apparaît donc que, dans les *Pensées*, la morale sert toujours la religion et que, partant, cette même morale échappe à la morale dont elle se 'moque' (B. 4) pour se confondre avec la foi. De sorte qu'en étant apologiste Pascal est également moraliste et de 'l'homme sans Dieu' et de 'l'homme avec Dieu' (B. 60). Mais à vrai dire, pour observer la nature corrompue des créatures qu'il réforme en les entraînant à désirer le 'libérateur' (B. 422) du mal et du bien afin qu'elles connaissent le juste, Pascal ne doit-il pas être, dans chaque pensée morale ou métaphysique, un psychologue de l'être universel ?

La connaissance de l'être universel est le fondement (A) de la morale

Et de fait, le moraliste doit se poser cette question : 'quelle chimère est-ce donc que l'homme ?' (B. 434) s'il veut rendre compte du comportement des individus. Et puisque 'c'est un aveuglement surnaturel de vivre sans chercher ce qu'on est' (B. 495), il faut par conséquent 'se connaître soi-même' et 'régler sa vie' (B. 66). Que découvre-t-on alors au tréfonds de l'être ? Un homme qui n'est 'ni ange ni bête' (B. 140), ce qui revient à contempler son 'néant' (B. 372). Pour Pascal, la connaissance de soi n'est donc pas celle de ses particularités. Il ne s'agit pas d'avoir 'le sot projet [. . .] de se peindre' (B. 62), ni de faire 'trop d'histoires' et parler 'trop de soi' (B. 65). Non, cela permet au contraire de trouver l'homme universel dont 'le *moi* est haïssable' parce qu'il est 'injuste en soi, en ce qu'il se fait centre de tout' et qu'il est 'incommode aux autres, en ce qu'il les veut asservir' (B. 455). Ainsi, la description des désordres moraux résulte d'une analyse psychologique permanente de la nature humaine.

(B) de la religion

Si pour prendre conscience de sa corruption l'homme doit se connaître soi-même, il doit poursuivre encore cette découverte de son être pour savoir, par ailleurs, qu'il n'est pas entièrement méprisable. L'auteur des *Pensées* remarque en effet que 'la grandeur de l'homme est grande en ce qu'IL SE CONNAIT misérable' (B. 397). Et c'est uniquement en se trouvant soi-même qu'on est amené à rechercher la foi, car il est vain 'de crier à un homme qui ne se connaît pas, qu'il aille de lui-même à Dieu' (B. 509). Et le fait est que la religion chrétienne exige que toute créature sache qui elle est : 'Jésus-Christ n'a fait autre chose qu'apprendre aux hommes qu'ils s'aimaient eux-mêmes, qu'ils étaient esclaves, aveugles, malades, malheureux et pécheurs' (B. 545). Parler du christianisme c'est donc pour Pascal montrer que 'l'homme est visiblement fait pour penser' et que 'l'ordre de la pensée est de commencer par SOI, et par SON AUTEUR et sa fin' (B. 146).

(C) de l'apologie

Et psychologue de l'être universel, Pascal doit encore le rester, afin d'écrire avec succès une œuvre apologétique. Pour défendre et justifier au mieux la religion chrétienne, il convient en effet de tenir un discours si naturel, de peindre les passions avec tant d'exactitude et de finesse qu''on trouve dans soi-même la vérité de ce qu'on entend' (B. 14), car 'on se persuade mieux, pour l'ordinaire, par les raisons qu'on a soi-même trouvées, que par celles qui sont venues dans l'esprit des autres' (B. 10). En faisant donc en sorte que 'la nature' puisse 'parler de tout, et même de théologie' (B. 29), Pascal parviendra peut-être à faire dire au libertin ce que lui-même remarquait en lisant Montaigne: ce n'est pas en lui, 'mais dans moi, que je trouve tout ce que j'y vois' (B. 64). Et si Dieu le veut, le lecteur incrédule découvrira alors une inclination à l'aimer dans le fond de son cœur, 'laquelle [il] ne savait pas qu'elle y fût' (B. 14). Il apparaît, par conséquent, que ce n'est qu'en connaissant l'être humain et en faisant qu'il se connaisse que Pascal peut le persuader de la nécessité d'espérer la foi.

Conclusion

Les *Pensées* constituent donc un ouvrage qui, tel qu'il se présente, n'appartient à aucun genre décrit par les théoriciens du classicisme. L'œuvre échappe à toute règle littéraire, car elle ne cherche qu'à donner une image aussi vraie que possible du chemin que doivent parcourir les créatures déchues pour se rapprocher de Dieu. Et c'est alors que l'apologiste devient psychologue et moraliste, puisque la connaissance de la nature humaine est indispensable pour entreprendre de convaincre le libertin de sa misère morale et susciter en lui un sentiment d'horreur qui l'incitera à chercher un remède à ses maux. Mais l'auteur n'offre pas au lecteur une collection de 'caractères', puis de 'maximes' et enfin de 'sermons'. Ses *Pensées* sont autant de moules dans lesquels fusionnent morale, psychologie et métaphysique. Et c'est ainsi que, tout en poursuivant un but religieux, Pascal compose une œuvre typique de la production des écrivains français du XVIIème siècle qui, fabulistes, poètes dramatiques, romanciers, mémorialistes, ou philosophes, travaillaient, chacun à sa manière, au portrait de l'honnête homme.

François Mouret PASCAL

5

'La plus grande bassesse de l'homme est la recherche de la gloire, mais c'est cela même qui est la plus grande marque de son excellence.' (B. 404)

Introduction

Dans les *Pensées*, Pascal '[contredit] toujours' et s'en fait une loi. 'S'il se vante', dit-il de l'homme, 'je l'abaisse; s'il s'abaisse, je le vante' (B. 420). Et conformément à ce mode de réflexion qui progresse par oppositions successives, il déclare notamment: 'la plus grande bassesse de l'homme est la recherche de la gloire, mais c'est cela même qui est la plus grande marque de son excellence'. Selon le philosophe, ce désir d'une célébrité grande et honorable, d'une renommée répandue dans un vaste public serait à la fois un signe de misère et de grandeur. Mais pourquoi Pascal satisfait-il ainsi à cette nécessité qui fait qu''à la fin de chaque vérité, il faut ajouter qu'on se souvient de la vérité opposée' (B. 567)? Et où mène donc la recherche d'une gloire, objet d'estime autant que de mépris?

(I) La recherche de la gloire ou la bassesse de l'homme

Bas et misérable, l'homme glorieux l'est plus que quiconque au monde, en ce sens que pour contenter un amour excessif de soi il quémande l'estime d'autrui en usant des moyens les plus vils.

(A) Chercher la gloire par amour-propre

C'est en effet la vanité qui nous pousse à rechercher injustement une gloire dont nous ne sommes pas dignes et à nous engager, alors, dans une entreprise impossible et honteuse. Et de fait, l'homme n'hésite jamais à agir d'une telle façon: 'il veut être grand, et il se voit petit', écrit Pascal, 'il veut être parfait, et il se voit plein d'imperfections; il veut être l'objet de l'amour et de l'estime des hommes, et il voit que ses défauts ne méritent que leur aversion et leur mépris. Cet embarras où il se trouve produit en lui la plus injuste et la plus criminelle passion qu'il soit possible de s'imaginer; car il conçoit une haine mortelle contre cette vérité qui le reprend, et qui le convainc de ses défauts. Il désirerait de l'anéantir, et, ne pouvant la détruire en elle-même, il la détruit, autant qu'il peut, dans sa connaissance et dans celle des autres; c'est-à-dire qu'il met tout son soin à couvrir ses défauts et aux autres et à soi-même'. Or cette 'aversion pour la vérité' est 'inséparable de l'amour-propre', puisque nous aimons que ceux qui nous entourent 'se trompent à notre avantage, et que nous voulons être estimés d'eux autres que nous ne sommes en effet'. Ce besoin insatiable de vaine gloire a donc pour conséquence que 'la vie humaine n'est qu'une illusion perpétuelle' et qu' 'on ne fait que s'entre-tromper et s'entre-flatter'. Et vouloir être apprécié 'plus que nous ne méritons' (B. 100), c'est déjà dévaler cette 'pente vers soi' qui 'est le commencement de tout désordre' (B. 477): 'le plus souvent on ne veut savoir que pour en parler' (B. 152), remarque Pascal qui dénonce également la vanité qui pousse à disputer de tout afin de donner de soi une image flatteuse: 'les discours d'humilité sont matière d'orgueil aux gens glorieux, et d'humilité aux humbles. [...] peu parlent de l'humilité humblement [...]. Nous ne sommes que mensonge, duplicité, contrariété, et nous cachons et nous déguisons à nous-mêmes' (B. 377). Il faut convenir d'ailleurs que 'l'admiration gâte tout dès l'enfance' et que c'est un 'aiguillon d'envie et de gloire' utilisé communément par tous ceux qui s'écrient: 'oh! que cela est bien dit! oh! qu'il a bien fait! qu'il est sage! etc.' (B. 151). Ainsi, l'empire de l'amour-propre est tel que l'homme ou bien 'cache ses misères' afin d'échapper au mépris, ou bien, 's'il les découvre, il se glorifie de les connaître' (B. 405).

(B) La recherche de la gloire se fait devant les hommes

On jouit donc de la gloire lorsque 'tout tend à soi' (B. 477). Or la vanité qui pousse chacun est inséparable du 'plaisir de la montrer aux autres' (B. 139), car nul n'est glorieux sans public. Pascal explique en effet que 'nous avons une si grande idée de l'âme de l'homme, que nous ne pouvons souffrir d'en être méprisés, et de n'être pas dans l'estime d'une âme' (B. 400). Mais par ailleurs, 'nous sommes si présompteux, que nous voudrions être connus de toute la terre, et même des gens qui viendront quand nous ne serons plus; et nous sommes si vains, que l'estime de cinq ou six personnes qui nous environnent, nous amuse et nous contente' (B. 148). Si bien que chacun, aussi misérable et méprisable soit-il, a sa cour de flatteurs: 'un soldat, un goujat, un cuisinier, un crocheteur se vante et veut avoir ses admirateurs; et les philosophes mêmes en veulent; et ceux qui écrivent contre veulent avoir la gloire d'avoir bien écrit; et ceux qui les lisent veulent avoir la gloire de les avoir lus' (B. 150)! Mais cette estime tant désirée 'de ceux avec qui on est' (B. 153) ne saurait être sincère, étant donné que 'tous les hommes se haïssent naturellement l'un l'autre' (B. 451). En outre, 'les belles actions cachées [étant] les plus estimables' (B. 159), cette gloire conquise au vu et au su de tous est sans valeur. C'est donc dire que les actions d'éclat, faites pour des spectateurs, sont fondamentalement mauvaises, comme 'tout ce qui nous incite à nous attacher aux créatures [...], puisque cela nous empêche, ou de servir Dieu, si nous le connaissons, ou de le chercher, si nous l'ignorons' (B. 479).

(c) La gloire 'porte à se faire Dieu'

Etre 'dans l'estime des hommes' (B. 404) par amour inconsidéré de soi, voilà donc ce qu'est la gloire et, partant, la misère humaine. Mais il y a plus grave encore que cette tromperie des autres et de soi-même, dans la mesure où, en voulant être glorieux tout individu commet en fait une erreur sur sa propre condition. La recherche de la gloire, en effet, ne devrait jamais être qu'un étourdissement de jeunesse; chez un homme elle est hors de saison: 'César était trop vieil', écrit Pascal, 'pour s'aller amuser à conquérir le monde. Cet amusement était bon à Auguste ou à Alexandre; c'étaient des jeunes gens, qu'il est difficile d'arrêter; mais César devait être plus mûr' (B. 132). En outre, la jouissance de l'estime publique n'est autre que la satisfaction d'un 'instinct qui [...] porte à se faire Dieu' (B. 492). Or 'rien n'est plus lâche que de faire le brave contre Dieu' (B. 194). Et rien ne nous permet de nous élever à des hauteurs divines par nos seules forces: 'il est faux que nous méritions cela; et il est injuste et impossible d'y arriver, puisque tous demandent la même chose' (B. 492). Le penser, c'est non seulement méconnaître qui l'on est, c'est aussi ne pas vouloir accepter que 'Dieu a créé tout pour soi; a donné puissance de peine et de bien pour soi'. Et cette vérité-là, 'vous pouvez l'appliquer à Dieu ou à vous', dit Pascal à son lecteur; 'si à Dieu, l'Evangile est la règle. Si à vous, vous tiendrez la place de Dieu', et cela ne se peut. 'Connaissez-vous donc et sachez que vous n'êtes qu'un roi de concupiscence' (B. 314) et dont la gloire est vaine.

(II) La recherche de la gloire ou l'excellence de l'homme

Mais alors, comment la recherche d'une telle 'bassesse' peut-elle être, néanmoins, 'la plus grande marque de [...] l'excellence' de l'homme?

(A) la recherche de la gloire est le propre de l'homme

C'est que le désir de gloire, pour méprisable qu'il soit, n'en est pas moins 'la qualité la plus ineffaçable du cœur de l'homme' (B. 404) et qui le distingue des autres espèces vivantes: 'les bêtes ne s'admirent point', écrit Pascal.

'Un cheval n'admire point son compagnon; ce n'est pas qu'il n'y ait entre eux de l'émulation à la course, mais c'est sans conséquence; car, étant à l'étable, le plus pesant et plus mal taillé n'en cède pas son avoine à l'autre, comme les hommes veulent qu'on leur fasse. Leur vertu se satisfait d'elle-même' (B. 401). Mais si le besoin d'estime est ainsi le propre de l'homme, est-ce là une particularité admirable pour autant? Oui, répond l'auteur des *Pensées*. Et nul n'a jamais vraiment démenti cela, pas même les moralistes les plus sévères, non plus que les philosophes pessimistes: 'ceux qui méprisent le plus les hommes, et les égalent aux bêtes, encore veulent-ils en être admirés et crus, et se contredisent à eux-mêmes par leur propre sentiment; leur nature, qui est plus forte que tout, les convainquant de la GRANDEUR de l'homme plus fortement que la raison ne les convainc de leur bassesse' (B. 404).

(B) La recherche de la gloire est un 'instinct [. . .] qui nous élève'

Et cette grandeur provient précisément de ce que l'aspiration vers la célébrité se confond avec la nécessité d'être meilleur, en dépit même du fait que la jouissance de toute renommée repose sur de basses flatteries reçues avec vanité. Mais l'excellence de l'homme glorieux 'est si visible, qu'elle se tire' de cette gloire misérable qu'il poursuit désespérément, 'car qui se trouve malheureux de n'être pas roi, sinon un roi dépossédé' (B. 409)? Rechercher les honneurs, c'est donc rechercher inconsciemment et mal cet état meilleur d'avant la chute dont chacun a gardé le souvenir confus. 'Qu'est-ce donc', en effet, 'que nous crie cette avidité et cette impuissance, sinon qu'il y a eu autrefois dans l'homme un véritable bonheur, dont il ne lui reste maintenant que la marque et la trace toute vide, et qu'il essaye inutilement de remplir de tout ce qui l'environne' (B. 425). Ainsi, la quête incessante d'une estime, quelle qu'elle soit, obéit bien à 'un instinct que nous ne pouvons réprimer, qui nous élève' (B. 411) et à cette croyance que 'l'homme est déchu d'un état de gloire et de communication avec Dieu en un état de tristesse, de pénitence et d'éloignement de Dieu' (B. 613).

(C) '*Qui gloriatur, in Domino glorietur*'

Si donc la vraie gloire consiste en 'la recherche [. . . du] souverain bien' (B. 73) et si, d'autre part, 'il est sans doute qu'il n'y a point de bien sans la connaissance de Dieu',* celui qui se glorifie doit alors le faire dans le Seigneur: '*qui gloriatur, in Domino glorietur*' (B. 460), et cesser de mettre son point d'honneur, comme 'le commun des hommes', à acquérir de 'la fortune' ou à posséder des 'biens du dehors' (B. 462).

* Variante du fragment B.194, note 1, p. 418.

Et c'est ainsi que la recherche de la gloire qui, le plus souvent, se poursuit bassement, est en fait le meilleur signe de la grandeur de l'homme dont Pascal voudrait que 'maintenant [il] s'[estimât] son prix' et 'qu'il haït en soi la concupiscence qui le détermine d'elle-même, afin qu'elle ne l'aveuglât point pour faire son choix' entre ce qui est vain et ce qui est juste, 'et qu'elle ne l'arrêtât point quand il aura choisi' (B. 423).

(III) La recherche de la gloire exclue par celle de la foi

En montrant que l'exercice de la gloire est fait de grandeur et d'humilité tout à la fois, l'auteur des *Pensées* observe donc la règle qu'il s'était fixée de désapprouver 'et ceux qui prennent le parti de louer l'homme, et ceux qui le prennent de le blâmer'. Mais plus précisément, que devient cette quête pour 'ceux qui cherchent en gémissant' (B. 421) et que Pascal loue ?

(A) Il n'y a pas de vraie gloire sans la foi

Le désir qu'a toute créature de retrouver 'une meilleure nature, qui lui était propre autrefois' (B. 409), étant le seul honorable et le seul qui soit juste, il s'ensuit que la gloire est dépendante de la foi sans laquelle 'l'homme [. . .] ne peut connaître le vrai bien' (B. 425). En effet, remarque Pascal, 'la vraie nature de l'homme, son vrai bien, et la vraie vertu, et la vraie religion, sont choses dont la connaissance est inséparable' (B. 442). Et l'obtention de la vraie gloire est, elle aussi, subordonnée à celle de la grâce.

(B) La gloire exclue par la foi

Mais en vérité, cette gloire-là reste inconnue à l'homme, car elle se trouve 'exclue : par quelle loi ? des œuvres ? non, mais par la foi' (B. 516). Et c'est ainsi qu'en s'effaçant elle concilie grandeur et humilité : humilité, en ce sens qu'étant toujours entachée de bassesses inhérentes à la nature déchue de l'homme, elle doit reconnaître qu'elle est vaine ; et grandeur dans la mesure où en renonçant à elle-même, elle laisse à la foi le soin de satisfaire cet instinct profond et élevé qui l'animait.

(C) Mais la foi n'est pas en notre puissance

Cependant, il convient de noter que si la gloire, ou plutôt, l'illusion de gloire est une conquête à la portée de l'homme, il en va différemment de la foi qui, elle, 'est un don de Dieu' (B. 279) que tout être doit souhaiter, mais en sachant toutefois que nul n'a le pouvoir personnel de l'obtenir. Dès lors, la recherche humaine de la gloire ne peut être une fin en soi puisqu'elle dépend de la grâce qui relève de la volonté divine. Elle n'est donc qu'un moyen d'élévation, qu'un désir insatisfait de Dieu.

Conclusion

Cette réflexion morale à laquelle Pascal s'est plu à donner une forme paradoxale, ne prend son sens véritable que replacée dans le contexte religieux d'où elle est tirée. Depuis le péché originel, l'homme n'est qu'un 'monstre', un 'imbécile ver de terre', un 'cloaque d'incertitude et d'erreur', bref le 'rebut de l'univers' (B. 434) entier, ce qui explique que la poursuite qu'il fait de la gloire soit à sa mesure, c'est-à-dire vaine et basse. Mais par ailleurs, ce même homme de condition misérable désire être glorieux, précisément parce qu'il est confusément en quête de cet état de grâce d'avant la chute dont il a le souvenir vague. Et c'est alors qu'en se voulant meilleur qu'il n'est en vérité, il montre toute son excellence, même s'il faut et fait preuve d'une grande bassesse dans l'exécution de cette entreprise. En portant ce jugement, le propos de Pascal était donc de rendre l'homme conscient que cette gloire qu'il désire sans trêve n'est autre que la manifestation du besoin de Dieu. Si le lecteur libertin est convaincu de cela, alors Pascal aura fait son œuvre. Car il sait que sa tâche ne peut pas être de donner la foi que Dieu seul accorde (B. 240), mais qu'elle est, en revanche, de montrer aux hommes vaniteux qu'ils souhaitent inconsciemment la grâce et que, par conséquent, ils devraient avoir à cœur de l'espérer.

Bernard Jean PASCAL

6

'La grandeur de l'homme est si visible, qu'elle se tire même de sa misère.' (B. 409)

Introduction

L'homme ne parvient jamais à se connaître. Il 'est à lui-même le plus prodigieux objet de la nature' (B. 72). Il est étrange, paradoxal, contradictoire. 'Nous sommes composés de deux natures opposées et de divers genres' (*Id.*), mais l'une n'est jamais assez forte pour nier complètement l'autre. 'Ni ange, ni bête' (B. 358), l'homme n'est pas un intermédiaire entre deux extrêmes, mais plutôt un mixte qui participe des deux à la fois. Si bien que devant notre 'duplicité', certains 'ont pensé que nous avions deux âmes. Un sujet simple leur paraissait incapable de telles et si soudaines variétés' (B. 417). Nous sommes grands et misérables, mais nous sommes l'un et l'autre simultanément. Ainsi, il est impossible d'affirmer que l'homme est seulement misérable: 'la grandeur de l'homme est si visible, qu'elle se tire même de sa misère' (B. 409). D'un examen de cette misère se dégage, comme par une inéluctable déduction, l'évidence de la grandeur. Nous verrons de quelle façon. Et en étudiant avec Pascal ce 'monstre incompréhensible' (B. 420) qu'est l'homme, nous nous efforcerons de découvrir comment ses deux natures se révèlent n'en former qu'une et comment se résolvent ses contradictions.

(I) La plus grande misère est de ne pas connaître notre misère

La lecture de Montaigne avait révélé à Pascal la misère de la condition humaine. Les *Pensées* contiennent de nombreuses allusions à l'*Apologie de Raimond Sebond*. L'homme est 'égal aux bêtes' (B. 418), il vit 'dans les chaînes' (B. 199). Il est 'plein de besoins' (B. 36), 'plein de défauts et de misères' (B. 100). Pascal, néanmoins, approfondit cette analyse et la teinte d'un pessimisme cosmique.

(A) Misère physique

La situation de l'homme semble désespérée. 'Le malheur naturel de notre condition faible et mortelle' (B. 139) se voit d'abord dans notre rapport avec la nature. Nous n'avons pas vraiment notre place dans l'univers infini où nous ballotons, 'toujours incertains et flottants, poussés d'un bout vers l'autre' et sous nous 'la terre s'ouvre jusqu'aux abîmes' (B. 72). Dans un monde hostile, le 'roseau pensant' a une vie bien hasardeuse: 'il ne faut pas que l'univers entier s'arme pour l'écraser: une vapeur, une goutte d'eau suffit pour le tuer' (B. 347). Devant 'son néant, son abandon, son insuffisance, sa dépendance, son impuissance, son vide', il ressentira 'l'ennui, la noirceur, la tristesse, le chagrin, le dépit, le désespoir' (B. 131).

(B) Misère de l'esprit et de l'âme

La faiblesse de son corps est à l'image de celle de son esprit, incapable de 'comprendre les principes des choses' (B. 72). Nous ne pouvons comprendre l'univers infini, car 'notre intelligence tient dans l'ordre des choses intelligibles le même rang que notre corps dans l'étendue de la nature' (*Id.*). C'est dire s'il y a loin de l'immensité des problèmes à résoudre à la petitesse de l'outil avec lequel nous les affrontons vainement. Que ce soit 'ignorance naturelle', comme chez le commun, ou 'ignorance savante', comme chez 'les grandes âmes, qui, ayant parcouru tout ce que les hommes peuvent savoir, trouvent qu'ils ne savent rien' (B. 327), nous serons toujours incapables de vérité. 'Nous haïssons la vérité' (B. 100), car, des 'puissances trompeuses' (B. 83) qui nous en tiennent éloignés, la plus efficace est l'amour-propre. Nous sommes sujets à l'égoïsme, nous recherchons les plaisirs les plus futiles. Notre cœur, 'creux et plein d'ordure' (B. 143), ne vaut pas mieux que notre 'sotte' (B. 365) pensée. A la misère cosmique de l'homme il faut donc ajouter la misère morale.

(C) La plus grande misère

Cette misère est terrible, mais si l'homme avait le courage d'en prendre son parti, il serait moins méprisable: 'c'est sans doute un mal que d'être plein de défauts; mais c'est encore un plus grand mal que d'en être plein et de ne les vouloir pas reconnaître' (B. 100). A plusieurs reprises, Pascal s'en prend à cette obstination qui nous empêche de voir l'évidence. 'Nous ne sommes que mensonge, duplicité, contrariété, et nous cachons et nous déguisons à nous-mêmes' (B. 377). Cette peur de regarder en face notre misère nous rend plus misérables encore, 'car la faiblesse de l'homme paraît bien davantage en ceux qui ne la connaissent pas qu'en ceux qui la connaissent' (B. 376). Il y a vanité à s'aveugler sur la vanité du monde, car nous ne pouvons rien mettre à la place. Le 'divertissement', mot par lequel Pascal désigne toutes les tentatives de l'homme pour ne pas affronter sa situation misérable, est donc 'la plus grande de nos misères' (B. 171). Ne pas contempler notre misère est le plus sûr moyen de nous y enfoncer.

(II) Connaître sa misère, c'est montrer sa grandeur

L'inverse de cette proposition, c'est que la prise de conscience de la misère est le premier pas vers la grandeur. Remarquons que Pascal va plus loin dans la pensée qui nous occupe et voit la grandeur déjà *présente* dans la misère.

(A) La dialectique misère-grandeur

Il est singulier de constater que la démarche de l'esprit de Pascal reproduit ici celle que suit Descartes pour démontrer Dieu par l'idée de parfait. Similitude involontaire, sans doute, mais comment ne pas en être frappé? Dans les deux cas, nous découvrons en nous une présence qui démontre une autre présence. Le fait que 'ce qui est nature aux animaux' (B. 409) et dont ils ne songent pas à se plaindre, nous paraisse 'effroyable' (B. 693) indique bien que l'homme 'est tombé de sa place, qu'il la cherche avec inquiétude' (B. 431). Ses misères les plus profondes 'sont misères de grand seigneur, misères d'un roi dépossédé' (B. 398), 'puisque c'est être d'autant plus misérable qu'on est tombé de plus haut' (B. 416).

(B) La grandeur et la pensée

Si nous connaissons notre misère, nous exerçons notre pensée, qui est comme le reste ou l'héritage du 'bonheur de notre première nature' (B. 430). Cette conscience, à elle seule, prouverait la grandeur de l'homme, car elle est belle. 'Toute la dignité de l'homme est en la pensée' (B. 365). 'La grandeur de l'homme est grande en ce qu'il se connaît misérable. Un arbre ne se connaît pas misérable' (B. 397). La pensée fait la supériorité du 'roseau pensant', même sur 'ce qui le tue, puisqu'il sait qu'il meurt, et l'avantage que l'univers a sur lui; l'univers n'en sait rien' (B. 347).

Supérieur aux conditions de son environnement, l'homme l'est aussi par la façon dont il en tire parti en l'humanisant. Certes, le monde humain demeure, comme l'homme lui-même, corrompu, mais il y a une 'grandeur de l'homme dans sa concupiscence même, d'en avoir su tirer un règlement admirable, et d'en avoir fait un tableau de la charité' (B. 402). En exerçant sur les forces qui dominent le monde une manière de contrôle, il évite le pire à la société dans laquelle il vit.

(C) Grandeur objective
(1°) Morale

Si l'on peut découvrir la grandeur de l'homme à la suite d'un véritable raisonnement, on peut aussi la constater objectivement dans bien des cas. Sur le plan moral, Pascal reconnaît que 'naturellement on aime la vertu, et [qu'] on hait la folie' (B. 97). 'L'homme est la plus excellente créature' (B. 431). 'Il y a en lui une nature capable de bien' (B. 423). Il est 'plus clair que le jour que nous sentons en nous-mêmes des caractères ineffaçables d'excellence' (B. 435) et 'nous avons un instinct que nous ne pouvons réprimer, qui nous élève' (B. 411).

(2°) Intellectuelle

Sur le plan de la connaissance également, il y a des raisons d'espérer. L'homme 'a en lui la capacité de connaître la vérité et d'être heureux' (B. 423). Nous pouvons, par des intuitions, saisir un certain nombre de propositions et 'nous avons une idée de la vérité, invincible à tout le pyrrhonisme' (B. 395).

(III) Le chemin de la foi passe par notre misère

Puisque la contemplation de la misère de l'homme nous renvoie à sa grandeur, voulue par Dieu, et signe de son statut de créature privilégiée aux yeux de Dieu, on pourrait penser qu'une prise de conscience de sa grandeur par l'homme serait une étape sur le chemin qui mène à Dieu. Il n'en est rien. 'Nous ne pouvons bien connaître Dieu qu'en connaissant nos iniquités. Aussi ceux qui ont connu Dieu sans connaître leur misère ne l'ont pas glorifié, mais s'en sont glorifiés' (B. 547). Tout ce que nous avons dit de la misère et de la grandeur en termes généraux s'applique à la chute et au salut.

(A) Misère et besoin de Dieu

Ne pas éprouver notre impuissance, c'est ne pas sentir que nous sommes des êtres sans Dieu. C'est tourner le dos à la 'puissance de l'homme avec Dieu' (B. 562). Ceux qui ne se connaissent pas misérables se laissent emporter par la vanité. Certains se croient les égaux de Dieu, les autres préfèrent leur corruption à la recherche de Dieu. En s'opposant à la religion, volontairement ou par ignorance, ils démontrent la vérité de celle-ci. 'Ainsi les deux preuves de la corruption et de la rédemption se tirent des impies, qui vivent dans l'indifférence de la religion' (B. 560). La religion est d'autant plus vraie que sont nombreux ceux qui restent au-dehors d'elle, car elle a connu d'avance leur infidélité et l'a expliquée par le 'Dieu caché': 'on n'entend rien aux ouvrages de Dieu, si on ne prend pour principe qu'il a voulu aveugler les uns, et éclairer les autres' (B. 566).

(B) Le salut et le péché

La grandeur se tire de notre misère, le salut se tire du péché, et il faut d'abord accepter avec humilité le principe de notre participation au péché originel pour avoir droit à la miséricorde divine. La conscience de notre misère devient ici une vertu active. Nous sommes innocentés dans le Christ dans la mesure où nous nous sentons coupables. 'Il n'y a que deux sortes d'hommes: les uns justes, qui se croient pécheurs; les autres pécheurs, qui se croient justes' (B. 534).

(c) Notre grandeur redonnée par la rédemption

Lorsque l'homme commence par 'reconnaître qu'il est vil, et même abominable', il lui est possible de devenir, ou plutôt, de redevenir 'semblable à Dieu' (*Id.*). Car la rédemption efface la chute, et restitue à l'homme sa première grandeur. 'L'homme, par la grâce est rendu comme semblable à Dieu et participant de sa divinité' (B. 434). A notre double nature, misérable et grande, correspond, sur le plan religieux, notre double statut, déchu et racheté. La grandeur qui se tire de notre misère, c'est donc aussi la grandeur divine que le Christ tire de notre péché.

Conclusion

'Que l'homme maintenant s'estime son prix [. . .]. Qu'il se haïsse, qu'il s'aime' (B. 423). Pascal lui a montré qu'il doit faire les deux ensemble, qu'aucune analyse de la nature humaine ne saurait réduire celle-ci à l'un des deux éléments: 'à mesure qu'on a plus de lumière, on découvre plus de grandeur et plus de bassesse dans l'homme [. . .]. Qui s'étonnera donc de voir que la religion ne fait que connaître à fond ce qu'on reconnaît d'autant plus qu'on a plus de lumière' (B. 443)? Qui ne verra que, seule, elle nous a connus tels que nous sommes véritablement, doués, au milieu de notre misère, d'un statut de grandeur qui est un encouragement à ne pas nous laisser subjuguer par la corruption du monde, et frappés, au milieu de cette grandeur, d'un châtiment de misères qui nous incite à rechercher le salut que Dieu nous offre?

François Mouret PASCAL

7

'Ne pouvant faire que ce qui est juste fût fort, on a fait que ce qui est fort fût juste.' (B. 298)

Introduction

Afin d'amener le libertin à souhaiter Dieu, il est dans le propos de Pascal de faire une analyse lucide de la misère implacable de l'homme déchu. Et, à cet effet, l'apologiste de la religion chrétienne observe les créatures selon des points de vue divers. Tantôt c'est l'individu qu'il considère dans son effroyable solitude et tantôt l'être social dont les rapports avec autrui révèlent eux aussi la corruption de la nature humaine. Et c'est ainsi que l'auteur des *Pensées* fait quelques réflexions sur l'organisation de la cité et déclare notamment: 'ne pouvant faire que ce qui est juste fût fort, on a fait que ce qui est fort fût juste'. A en croire Pascal, il y aurait donc un contrat de nécessité entre le juste et le fort dont la fonction serait de garantir l'efficacité des lois en vigueur. Mais alors, la question est de savoir si la force est au service de la justice ou si, au contraire, elle l'usurpe, c'est-à-dire, s'il peut y avoir une justice forte qui ne serait autre qu'une force juste?

(I) Ce qui est juste n'est pas fort

Observateur attentif et sévère des mœurs perverties, Pascal doit constater en fait que ce qui est juste est d'une faiblesse telle que toute justice en devient impuissante.

(A) La justice est faible

S'il est vrai, en effet, que l'équité manque de force et ne peut s'imposer, c'est que l'homme, de nature corrompue, 'n'agit point par la raison, qui fait son être' (B. 439) et que, d'autre part, 'la justice et la vérité sont deux pointes si subtiles, que nos instruments sont trop mousses pour y toucher exactement' (B. 82). De sorte que le '*verum jus*' nous échappe: 'nous n'en avons plus', remarque Pascal qui ajoute: 'si nous en avions nous ne prendrions pas pour règle de justice de suivre les mœurs de son pays' (B. 297). L'homme n'ayant donc qu'une idée imprécise du bon droit 'l'ignore' (B. 294) le plus souvent, et s'accoutume alors à ce que parmi les lois 'il n'y en [ait] aucune vraie et juste'

(B. 325). D'ailleurs, notre 'belle raison corrompue' qui 'a tout corrompu' (B. 294) fait que 'nous n'y connaissons rien' (B. 325) et que la justice que nous ne pouvons ni concevoir avec certitude, ni respecter par conséquent, est plus fictive que réelle. Car s'il n'en était pas ainsi, 'l'éclat de la véritable équité aurait assujetti tous les peuples [. . .]. On la verrait plantée par tous les Etats du monde et dans tous les temps, au lieu qu'on ne voit rien de juste ou d'injuste qui ne change de qualité en changeant de climat' (B. 294).

(B) Faible, la justice est victime de la force

Et cette justice des hommes, si faible et si incertaine, est alors victime de la force. 'Si l'on avait pu, l'on aurait mis la force entre les mains de la justice', explique Pascal, mais toutes deux appartenant à des ordres différents, cela a été impossible. 'La FORCE', en effet, 'ne se laisse pas manier comme on veut, parce que c'est une QUALITE PALPABLE, au lieu que la JUSTICE est une QUALITE SPIRITUELLE dont on dispose comme on veut'. On l'a donc 'mise entre les mains de la force'. Ainsi, il y a soumission et exclusion de la plus faible par la plus forte de ces qualités de nature incompatible, et, conséquemment, 'on appelle juste ce qu'il est force d'observer' (B. 878).

(C) Vaincue par la force, la justice est impuissante

Or 'la justice sans la force est impuissante' et elle 'est contredite, parce qu'il y a toujours des méchants' et qu'elle 'est sujette à dispute' (B. 298)! Aussi, serait-ce une erreur de croire que 'notre justice' (B. 375) vaincue et 'sans force' (B. 298) est 'essentiellement juste' (B. 375). Pour se persuader que 'rien, suivant la seule raison, n'est juste de soi' (B. 294), il suffit de voir 'tous les pays et hommes changeants' ou encore d'écouter tous les 'changements de jugement touchant la véritable justice' (B. 375). Et Platon ainsi qu'Aristote savaient bien que l'équité à elle seule ne peut rien, sinon accepter par force l'injustice, puisque, 'quand ils se sont divertis à faire leurs *Lois* et leur *Politique*, ils l'ont fait en se jouant; c'était la partie la moins philosophe et la moins sérieuse de leur vie [. . .]. S'ils ont écrit de politique, c'était comme pour régler un hôpital de fous; et s'ils ont fait semblant d'en parler comme d'une grande chose, c'est qu'ils savaient que les fous à qui ils parlaient pensaient être rois et empereurs. Ils entrent dans leurs principes pour modérer leur folie au moins mal qu'il se peut' (B. 331). C'est dire, par conséquent, que la justice dépossédée de tout pouvoir n'est qu'une illusion vaine et que l'on ne réussit pas à imposer qu''il soit force d'[y] obéir' (B. 299).

(II) Ce qui est fort n'est pas juste

Ne parvenant donc pas à 'trouver le juste' (B. 297) qui toujours est fuyant et faible, et faute de pouvoir 'fortifier la justice' (B. 299), on a 'trouvé le fort' (B. 297) et 'justifié la force' (B. 299). Mais faut-il en conclure pour autant que l'on a su faire 'que ce qui est fort soit juste' (B. 298)?

(A) La force est juste

Oui semble-t-il, dans la mesure où l'on s'est attaché à ce qu''il soit juste d'obéir à la force' (B. 299). Si Montaigne a remarqué, à ce propos, que l'autorité d'une coutume 'peut tout', il 'n'a pas vu' cependant 'la raison de cet effet' (B. 234). Et c'est précisément ce que Pascal s'efforce de découvrir. D'abord il constate qu''il est nécessaire que ce qui est le plus fort soit suivi' car la 'force est très reconnaissable et sans dispute' (B. 298). Et il est vrai que le spectacle du monde confirme constamment cette analyse: les hommes se battent 'jusqu'à ce que la plus forte partie opprime la plus faible' afin qu'il y ait 'un parti dominant. Mais quand cela est une fois déterminé, alors les maîtres, qui ne veulent pas que la guerre continue, ordonnent que la force qui est entre leurs mains succédera comme il leur plaît' (B. 304). Toutefois, ils savent que 'la force sans la justice est accusée' (B. 298), aussi, 'les uns [. . .] remettent' leur puissance 'à l'élection des peuples, les autres à la succession de naissance, etc.'. Et Pascal poursuit sa réflexion en expliquant que c'est à partir de ce moment que 'l'imagination commence à jouer son rôle. Jusque-là la pure force l'a fait: ici c'est la force qui se tient par l'imagination en un certain parti, en France des gentils-hommes, en Suisse des roturiers, etc.'. De sorte que 'ces cordes qui attachent [. . .] le respect à tel et à tel en particulier, sont des cordes d'imagination' (B. 304). Et c'est ainsi que la force devient juste, puisqu'elle seule garantit la paix 'qui est le souverain bien' (B. 299). Il serait vain alors et inconsidéré d'accuser le fort d'être un usurpateur. Certes, il n'y a rien de 'moins raisonnable que de choisir, pour gouverner un Etat, le premier fils d'une reine'. Mais cette loi 'ridicule et injuste' devient en fait 'raisonnable et juste, car qui choisira-t-on, le plus vertueux et le plus habile? Nous voilà incontinent aux mains, chacun prétend être ce plus vertueux et ce plus habile. Attachons donc cette qualité à quelque chose d'incontestable. C'est le fils aîné du roi; cela est net, il n'y a point de dispute. La raison ne peut mieux faire, car la guerre civile est le plus grand des maux' (B. 320). C'est donc au nom du 'plus grand des biens' (B. 319) que se trouve justifiée la raison de l'homme le plus fort, prince ou maître simplement de 'quatre laquais' (B. 318). Au point que contester ce droit n'est pas équitable et que

Pascal condamne 'l'INJUSTICE de la Fronde, qui élève sa prétendue justice contre la force' (B. 878) et qu'il donne cette définition dictée par l'expérience : 'la justice est ce qui est établi' (B. 312), car lorsque le fort 'possède son bien, ce qu'il possède est en paix' (B. 300).

(B) Justice illusoire de la force

Toutefois, cette honnêteté de la force est plus illusoire que véritable. Si, en effet, 'on a fondé et tiré de la concupiscence des règles admirables de police, de morale et de justice', il n'en reste pas moins que 'dans le fond, ce vilain fond de l'homme, ce *figmentum malum*, n'est que couvert : il n'est pas ôté' (B. 453). Or cette corruption fondamentale fait que les puissants ne cessent de jouer très sérieusement la comédie de la justice. Et Pascal de remarquer alors, entre autres faits notoires, que 'quand il est question de juger si on doit faire la guerre et tuer tant d'hommes, condamner tant d'Espagnols à la mort, c'est un homme seul qui en juge, et encore INTERESSE : ce devrait être un tiers indifférent' (B. 296). Et si le fort parvient ainsi à faire accroire au peuple qu'il est respectueux et défenseur de la justice, c'est uniquement parce qu'on a appris aux gens à 'distinguer les hommes par l'extérieur, plutôt que par les qualités intérieures' (B. 319)! Aussi la 'force' et le bon droit qu'elle confère ont-ils souvent pour unique fondement l'éclat d'un 'habit' (B. 315), ou l'apparence du 'dehors' (B. 324). Si bien que la prétendue justice de la force ne repose en fait que sur une tromperie qui a été rendue nécessaire. Et c'est pourquoi 'le plus sage des législateurs disait que, pour le bien des hommes, il faut souvent les PIPER ; et un autre, bon politique : *Cum veritatem qua liberetur ignoret, expedit quod* FALLATUR. Il ne faut pas qu'il sente la vérité de l'usurpation [. . .], il faut la faire regarder comme authentique, éternelle, et en CACHER le commencement si on ne veut qu'elle ne prenne bientôt fin'. De sorte que la coutume établie avec autorité 'fait toute l'équité, par cette seule raison qu'elle est reçue' (B. 294) avec force et que le peuple aveugle 'la suit' d'autant plus loyalement qu' 'il la CROIT juste' (B. 325). 'Il est donc vrai de dire que tout le monde est dans l'illusion' (B. 335) et que la force exige qu'on la confonde avec la justice précisément parce qu'elle est injuste.

(C) La justice de la force est injuste

Et de fait, 'la force a contredit la justice et a dit qu'elle était injuste, et a dit que c'était elle qui était juste' (B. 298). Par conséquent, les lois que l'on est tenu de respecter 'ne sont pas justes' (B. 326) et 'qui leur obéit parce qu'elles sont justes, obéit à la justice qu'il imagine, mais non pas à l'essence de la loi : elle est toute ramassée en soi ; elle est loi, et rien davantage' (B. 294). Et c'est pourquoi on suit 'la pluralité' qui a 'plus de force' (B. 301) que les préceptes naturels et universels; c'est aussi ce qui explique que l'on ne soit point choqué par cette 'plaisante justice qu'une rivière borne' et que, conformément à cette échelle des valeurs qui se trouve ainsi renversée, les crimes puissent être déclarés justes: 'le larcin, l'inceste, le meurtre des enfants et des pères, tout a eu sa place entre les actions vertueuses' (B. 294), remarque Pascal qui compose par ailleurs ce bref dialogue philosophique au cours duquel l'injuste devient juste et le juste, injuste: 'Pourquoi me tuez-vous?—Eh quoi! ne demeurez-vous pas de l'autre côté de l'eau? Mon ami, si vous demeuriez de ce côté, je serais un assassin et cela serait injuste de vous tuer de la sorte; mais puisque vous demeurez de l'autre côté, je suis un brave, et cela est juste' (B. 293). Il s'agit donc là d'une 'fausse justice' fondée exclusivement sur l'autorité et qui, comme celle que rendit Pilate, 'ne sert qu'à faire souffrir' (B. 791). Et c'est ainsi que la force 'est la reine du monde' (B. 303) au mépris de tout ce qui est véritablement juste.

(III) Une justice forte, c'est-à-dire une force juste

Si, d'une part, la justice sans force est impuissante au point de ne pouvoir éviter que l'injustice soit, et si, de l'autre, la force n'est en fait qu'une injustice profonde superficiellement justifiée, faut-il en déduire que le juste et le fort sont incompatibles et qu'en conséquence la justice ne peut jamais triompher avec force?

(A) La vraie force est juste

Non, car ce serait méconnaître que la vraie force est juste. L'erreur des hommes, explique Pascal, est de confondre la puissance avec la '*libido dominandi*' (B. 458) et d'en faire 'le tyran' (B. 311) du monde, alors que cette autorité 'tyrannique' qui est 'sans la justice' (B. 298) n'a rien de commun avec la force. Que l'on songe, en effet, que 'la puissance' de ceux qui gouvernent et qui font les lois 'a pour fondement la faiblesse' elle-même et la 'folie du peuple' (B. 330)! Pourquoi? Parce que cette force-là qui, avec la concupiscence, est la source 'de toutes nos actions' fait 'les involontaires' (B. 334) qui ne peuvent résister à la tentation de franchir toute 'porte ouverte, non seulement à la plus haute domination, mais à la plus haute tyrannie' (B. 380). Or ce désir qui consiste à 'vouloir régner partout' est 'hors de son ordre' (B. 332) puisque 'le propre de la puissance est de protéger' (B. 310) et non pas d'opprimer misérablement.

(B) La vraie justice est forte

Et de même que la vraie force est juste, la véritable justice est forte. De fait, il est affirmé dans l'Ecriture que '*qui justus est, justificetur adhuc*, à cause, précise Pascal, du POUVOIR qu'il a par la justice' (B. 531). Et l'histoire du christianisme offre la meilleure preuve que ce qui est juste est fort d'une force qui résulte de la justice même, car c'est cela, précisément, qui distingue cette religion de chaque autre qui 'veut être crue par sa propre autorité et menace les incrédules' (B. 693). Dans l'Eglise, 'il y a une justice véritable et nulle violence' (B. 878), parce que la tyrannie y est inutile, alors qu'elle est indispensable aux institutions humaines qui 'périraient, si on ne faisait ployer souvent les lois à la nécessité'. Or cette toute-puissance clémente et protectrice que l'Eglise tire de sa juste cause montre que 'cela est divin' (B. 614) et que ce n'est pas dans la cité des hommes, mais dans celle de Dieu que s'épanouit la justice forte qui est indissociable de la force juste.

(c) En Dieu est la justice qui est la force

Et le fait est que pour Pascal 'l'homme sans la foi ne peut connaître [...] la justice' (B. 425) efficace et véritable car, de même que 'le fini s'anéantit en présence de l'infini, et devient un pur néant', ainsi fait 'notre justice devant la justice divine' (B. 233). Pour se délivrer de la corruption et trouver des 'remèdes' à l''injustice' (B. 450) qui est en elle, la créature déchue doit donc se tourner vers Dieu et espérer 'l'exemption d'injustice' (B. 540) en s'en remettant à sa juste puissance: '*Ad tuum, Domine Jesu, tribunal appello*' (B. 920), qui seule peut satisfaire dans la béatitude cette 'faim de la justice' (B. 264). Et c'est alors que 'le juste [qui] agit par foi dans les moindres choses' dispose d'une force bienfaisante: 'quand il reprend ses serviteurs, il souhaite', en effet, 'leur correction par l'esprit de Dieu, et prie Dieu de les corriger, et attend autant de Dieu que de ses répréhensions, et prie Dieu de bénir ses corrections. Et ainsi aux autres actions ...' (B. 504). De sorte que l'on peut dire qu'en Dieu est la justice qui est la force.

Conclusion

Ce n'est donc pas la moindre misère des humains que d'avoir un sentiment vif de ce qui est juste et d'être cependant impuissants à faire respecter la justice dans leur cité où triomphe impunément une force tyrannique et usurpatrice qui se dit juste et ne l'est point. Et il en va de la sorte, précisément, parce que nous portons en nous qui sommes corrompus une 'manifeste injustice' dont 'nous ne pouvons nous défaire' et dont, néanmoins, nous savons qu''il faut nous défaire' (B. 492) pour que le fort cesse d'opprimer le juste. Et, afin que la puissance et l'intégrité soient réunies, l'homme doit s'efforcer de quitter cet état de 'malheur inévitable' (B. 389) qui l'afflige et le désespère pour se mettre en quête du vrai bien, c'est-à-dire de la vraie force et de la vraie justice que Dieu 'a voulu révéler' (B. 375). Ainsi, les pensées de Pascal sur le juste et le fort ne sont pas des réflexions de juriste désireux de réformer les institutions et les lois qui règlent la vie des citoyens, mais les arguments mêmes d'un apologiste habile qui fait usage de tout ce que lui suggère la perversion des créatures pour tenter de convaincre le libertin qu'il n'y a de justice et de force et de bien et de bonheur qu'en Dieu.

Bernard Jean PASCAL

8

'Nous ne cherchons jamais les choses, mais la recherche des choses.' (B. 135)

Introduction

Pascal aime à déguiser ses idées les plus claires sous un voile d'obscurité. Il attend de nous un effort d'imagination d'où le sens jaillira, plus fort et plus persuasif que s'il nous avait été donné sans conquête. C'est dans les paradoxes et les symétries que se dissimule la signification. 'Nous ne cherchons jamais les choses, mais la recherche des choses' (B. 135). D'un côté, le verbe 'chercher' traduit la volonté de trouver, tandis que, de l'autre, 'la recherche' donne l'idée de chercher pour chercher, sans intention véritable d'atteindre un résultat. Selon Pascal, donc, les entreprises de notre vie auraient pour seul but de nous tenir occupés, les objectifs que nous nous fixons seraient de simples leurres. Cet incessant besoin d'activité, il l'appelle 'divertissement' (B. 139) et lui accorde une place importante dans sa philosophie. Avant d'examiner si nous sommes d'accord avec cette théorie, il conviendra d'en préciser les contours.

(I) La recherche, ou 'divertissement'

(A) Deux constatations

Reprenant Montaigne, qui disait que 'notre vie n'est que mouvement' (III, xiii, p. 254), Pascal se plaît à montrer, par des exemples nombreux et minutieusement analysés, que l'homme ne saurait se passer d'activité. Il nous le montre fébrilement engagé dans des activités diverses, ne sachant rester un instant 'sans passions, sans affaire' (B. 131) et consacrant tout son temps à des occupations comme la chasse, les jeux de balle, le 'combat des opinions' (B. 135), les plaisirs de toute sorte. Un roi même ne peut pas trouver de satisfaction dans sa position privilégiée et ne fait pas exception à la règle. Si l'on peut dire qu'un prince est le plus heureux des hommes, c'est uniquement parce qu'il est entouré d'une multitude de gens dont le seul souci est de le tenir amusé. 'Un roi sans divertissement est un homme plein de misères' (B. 142). Pascal fait aussi remarquer l'impossibilité où sont les hommes de faire cesser ce 'divertissement'. '*Agitation.*—Quand un soldat se plaint de la peine qu'il a, ou un laboureur, etc., qu'on les mette sans rien faire' (B.

130). L'absence de divertissement est pire que les douleurs. Il y a là quelque chose de paradoxal. Car si l'homme devait trouver le bonheur dans la possession des objets de sa poursuite, l'agitation conduirait à un calme, ne serait qu'un moyen en vue de la fin. Or l'on constate, au contraire, que l'état fébrile ne tend qu'à se perpétuer.

(B) Faible importance des mobiles

Recherchant les causes de cette activité, Pascal s'étonne de constater qu'elles ne sont pas ce que l'on pouvait attendre. Le joueur croit jouer pour l'argent, le chasseur pense que 'le lièvre qu'on court' (B. 139) est l'objet de sa poursuite. Mais si on lui offre ce lièvre, il est déçu. De même, donnez au joueur 'tous les matins l'argent qu'il peut gagner chaque jour, à la charge qu'il ne joue point: vous le rendrez malheureux' (*Id.*). Il semble donc bien prouvé que l''on aime mieux la chasse que la prise' (*Id.*), et que les 'choses' jouent un rôle secondaire dans notre recherche. Il reste maintenant à examiner l'explication que Pascal propose pour justifier cette conduite.

(C) La fuite devant notre destin

L'activité de l'homme est une fuite. Quand il se divertit, il se détourne—c'est le sens que Pascal donne au mot—de la contemplation de certaines réalités qui lui seraient trop pénibles. L'analyse de Pascal fait songer au mot de La Rochefoucault: 'le soleil ni la mort ne se peuvent regarder fixement' (Maxime 26). Que l'homme cesse un instant de tenir son esprit préoccupé, 'il sent alors son néant, son abandon, son insuffisance, sa dépendance, son impuissance, son vide' (B. 131). Il y a quelque chose de particulièrement douloureux dans le fait de 'penser à soi' (B. 139): 'l'homme est si malheureux, qu'il s'ennuierait même sans aucune cause d'ennui, par l'état propre de sa complexion' (*Id.*). L'inévitabilité de la mort et des maladies est une pensée suffisante pour attrister même un roi. Il partage en effet 'le malheur naturel de notre condition faible et mortelle, et si misérable, que rien ne peut nous consoler, lorsque nous y pensons de près' (*Id.*). Heureusement pour l'homme, 'une seule pensée nous occupe, nous ne pouvons penser à deux choses à la fois' (B. 145). Il s'enfonce dans les plaisirs et même dans les soucis (B. 143) plutôt que de devoir considérer sa condition.

(II) Les choses

En partant d'un nombre limité d'observations, c'est toute l'activité humaine que Pascal condamne finalement. S'il est difficile, comme nous allons le voir maintenant, d'être toujours d'accord avec ce qu'il affirme, il doit l'être encore plus d'accepter ses sous-entendus et ses extrapolations.

(A) Critique des analyses de Pascal

Les analyses de Pascal sont souvent fausses, même dans le détail. Après avoir démonté le mécanisme du jeu, par exemple, il suggère que la passion de l'amour suit les mêmes principes. Or, nous pouvons affirmer que, s'il y a des passions qui croissent dans l'insatisfaction, comme celle de Swann chez Proust, il y en a d'autres qui s'épanouissent dans la possession. Si les gens achètent à crédit, cela semble bien prouver que pour eux 'les choses' comptent plus que la 'recherche des choses' qui est, pour ainsi dire, remise à plus tard, et ils sont disposés à payer plus cher ce privilège de la possession immédiate. Pascal semble oublier que vouloir une chose peut conduire à la satisfaction d'un besoin : l'homme, bien souvent, cesse de chercher quand il a trouvé, et une notion comme celle de salaire montre que l'activité humaine n'est pas dissociée du but qu'elle se propose. Mais il y a aussi des desseins désintéressés qui n'ont rien à voir avec le divertissement. Quand un musicien a un amour de la musique et un talent assez grands pour faire de lui un virtuose, peut-on dire que ses efforts vers la perfection ne tendent qu'à oublier le monde et lui-même ? Il faudrait pour cela mêler de l'insatisfaction au principe du plaisir le plus pur. Chez ce virtuose, il n'y a plus contradiction, mais confusion entre ce que Pascal appelle divertissement et repos. Enfin, une agitation stérile peut présenter des formes qui sont l'inverse de ce que suggère Pascal. Loin d'écarter l'inquiétude, l'agitation est souvent elle-même inquiétude. L'ambition vaniteuse, le perfectionnisme psychologique s'accompagnent d'angoisse et ne constituent nullement des remèdes à l'angoisse.

(B) Action et équilibre

Pour certaines philosophies, en particulier pour la philosophie des lumières, qui ne partage pas le pessimisme de Pascal, l'action est revêtue d'une valeur entièrement positive. Voltaire, dans sa *Lettre sur les Pensées de M. Pascal*, (XXIII), trouve absurde de la considérer comme un dérivatif. 'L'homme est fait pour l'action comme le feu tend en haut et la pierre en bas'. Il y a pour lui plusieurs types d'actions : 'les occupations douces ou tumultueuses, dangereuses ou utiles', mais cette diversité de modes recouvre un statut unique. L'action peut être un état normal d'équilibre. La philosophie des lumières serait d'accord avec Pascal pour observer chez l'enfant un mouvement incessant. Mais bien loin de le condamner, elle y verrait le vouloir-vivre placé par la nature en tout individu. Chez les jeunes, on le voit à l'état brut, excessif. Puis il se diversifie. Mais la volonté de vivre peut coexister avec des vues parfaitement nettes sur la mort. L'homme qui choisit une ligne de vie d'adulte responsable, opte pour le mariage, élève des enfants, a une attitude normale. C'est ce que Pascal appelle repos qui fait problème. Dans le contexte d'une philosophie sensualiste, nous rappelle Voltaire, nous ne pouvons pas nous replier entièrement sur nous-mêmes. On ne peut jamais rompre tout à fait les contacts avec le monde extérieur.

(C) La solution existentialiste

Voltaire s'inscrit en faux contre toutes les affirmations de Pascal, car il est profondément hostile à cette vue pessimiste du destin de l'homme. Or, la philosophie existentialiste prend son départ avec Pascal dans des constatations sur le néant. Certains individus, —Heidegger ne les appellerait pas volontiers individus et Sartre leur donne les noms de 'naïfs' et de 'salauds'—, ne prennent jamais conscience du néant. Ils vivent une existence inauthentique qui consiste à croire leur vie justifiée d'une façon ou d'une autre, et consacrent tous leurs efforts à faire partager à autrui l'image qu'ils se font d'eux-mêmes. Cette analyse est voisine de celle du divertissement, car elle montre comment certains hommes se gardent de l'angoisse. Mais là s'arrête la ressemblance. Car, nous dit Sartre, lorsqu'un homme a pris conscience du fait qu'il n'y a pas de justification à son existence, que le monde est absurde, il va néanmoins agir dans le monde. Par solidarité avec les autres, il va s' 'engager', et essayer de rendre le monde meilleur. Ce faisant, il se trouvera lui-même, car l'homme est la somme de ses actions. Loin d'être une fuite devant la pensée, l'action devient le résultat de l'acceptation de notre condition.

(III) Le Repos

Dans le contexte d'une philosophie optimiste, la théorie du divertissement, nous l'avons vu, apparaît insuffisante. Pour une philosophie athée, ses conclusions sont inacceptables, bien que certaines observations soient jugées vraies. En fait, nous ne pouvons comprendre ni accepter le point de vue de Pascal si nous dissocions le divertissement de sa pensée religieuse.

(A) Repos et Grandeur

Ce que Pascal appelle le 'repos' est un état à la fois naturel et impossible à atteindre—Voltaire ajouterait, mais pour des raisons non-pascaliennes, impossible à concevoir également. Toute la théorie repose sur cette affirmation : le repos, malgré l'angoisse qui l'accompagne, est préférable au divertissement. Or, cette donnée est justifiée par Pascal à l'aide d'un argument religieux : les hommes 'ont un autre instinct secret, qui reste de la grandeur de notre première nature, qui leur fait connaître que le bonheur n'est en effet que dans le repos, et non pas dans le tumulte' (B. 139). La théorie du divertissement est indissociable de la vision chrétienne de l'homme, grand et misérable.

(B) Repos et Pensée

La grandeur du repos est aussi liée à la grandeur—toujours reconnue par Pascal—de la pensée. 'L'homme est visiblement fait pour penser; c'est toute sa dignité et tout son mérite; et tout son devoir est de penser comme il faut. Or l'ordre de la pensée est de commencer par soi, et par son auteur et sa fin' (B. 146). Il y a donc, à côté de la grandeur du repos, la vocation du repos, et si les hommes 'se sont avisés, pour se rendre heureux, de [. . . ne] point penser' (B. 168), ils renoncent à leur vocation pour tomber dans la misère.

(C) Repos et Dieu

Cette misère n'est autre que le refus de Dieu. Car, ce qui rend le repos inconfortable, c'est qu'il révèle à l'homme l'absence, le manque de Dieu. Sans le divertissement, 'nous serions dans l'ennui, et cet ennui nous pousserait à chercher un moyen plus solide d'en sortir' (B. 171). La misère du divertissement, c'est la misère de l'homme sans Dieu. L'angoisse du repos, c'est la prise de conscience du néant de l'homme seul. Cette apparente dramatisation du conflit humain est en fait le premier pas dialectique vers le salut.

(D) Divertissement et polémique

Si l'on intègre le divertissement à la pensée religieuse de Pascal, il faut l'intégrer aussi à son intention apologétique. Il s'est promis de ramener à la foi les incroyants. L'analyse de Pascal est une arme polémique particulièrement bien adaptée à cette sorte de non-chrétien. En effet, elle réduit à néant les deux grandes accusations portées généralement contre la religion par les athées.

(1°) On est chrétien par peur

La première critique est que la foi est sous-tendue de peur. C'est parce qu'il a peur de l'au-delà que l'homme se concilie Dieu par la religion. Pascal détruit cette supériorité de l'incroyance en montrant que la peur se trouve en fait du côté de l'indifférence. Le divertissement est une fuite; fuite en avant, peut-être, et peur inconsciente, certes, mais si profonde que l'on ne peut pas la supporter un instant.

(2°) Religion—perte de temps

La deuxième critique, adressée en particulier par les sceptiques, consiste à dire que la religion est une perte de temps. Devant l'incertitude de notre destin, on se demande à quoi bon consacrer sa vie au salut au lieu de vivre, tout simplement. La théorie du divertissement montre que cette vie n'a pas la valeur positive que les incroyants voudraient lui donner. Chercher le bonheur plutôt que le salut est absurde lorsque le bonheur est vide et négatif.

Conclusion

La remarque de Pascal 'nous ne cherchons jamais les choses mais la recherche des choses' nous apparaît à la fois comme une analyse et comme une thèse. Analyste de l'activité humaine, Pascal se révèle grand moraliste, car il soulève ici un masque et suggère des motifs secrets en faisant peser un discrédit sur les mobiles apparents. Comme thèse, cette observation se situe au centre même de la philosophie de Pascal. Liée au pessimisme, mais plus étroitement aux différents arguments polémiques des *Pensées*, elle prépare le terrain à la conversion. En effet, l'argument du 'pari' repose sur l'affirmation du néant de la vie terrestre. Ce néant, c'est le 'divertissement' qui l'a rendu évident.

Bernard Jean PASCAL

9

‘Il faut, pour qu’une religion soit vraie, qu’elle ait connu notre nature.’ (B. 433)

Introduction

Bien que la religion ne se puisse démontrer rationnellement, que la foi soit ‘Dieu sensible au cœur, non à la raison’ (B. 278), l’apologiste doit néanmoins établir qu’il n’y a pas de contradiction fondamentale entre la religion divine et la raison humaine. ‘Si on choque les principes de la raison, notre religion sera absurde et ridicule’ (B. 273). En conséquence, ‘il faut commencer par montrer que la religion n’est point contraire à la raison’ (B. 187), que la foi ‘est au-dessus, et non pas contre’ (B. 265). Et comment mieux montrer qu’il n’y a pas de conflit entre l’humain et le divin qu’en faisant remarquer que la religion ‘a bien connu l’homme’ (B. 187)? Pascal va même plus loin et fait de cette connaissance de la nature humaine un critère de la vérité de la religion chrétienne: ‘il faut, pour qu’une religion soit vraie, qu’elle ait connu notre nature’ (B. 433). Or, si la religion chrétienne ne prétend pas ‘avoir une vue claire de Dieu’ (B. 194), qui est un Dieu caché, elle prétend très fermement connaître l’homme mieux qu’il ne se connaît lui-même et être capable, par conséquent, de le faire sortir de ses ‘égarements’, de sa ‘folie’ et de son ‘aveuglement’ (B. 195). Nous devrons examiner si le christianisme pascalien tient bien cette promesse, mais il faudra aussi nous poser la question de savoir si l’explication chrétienne de l’homme est susceptible de conduire à la foi, ou, en d’autres termes, si la vérité du christianisme en tant que philosophie conduit à sa vérité en tant que religion.

(I) Le paradoxe de la nature humaine

Il faut commencer par considérer cette nature de l’homme en ne commettant pas les erreurs de tous ceux qui ne se sont pas appuyés sur la religion chrétienne et sur elle seule.

(A) Dualité

Le fait le plus saillant que nous remarquons, c’est la contradiction. La nature de l’homme est incompréhensible, car ‘l’homme est à lui-même le plus prodigieux objet de la nature’ (B. 72). Notre mystère, c’est que nous avons, non pas une, mais deux natures contraires, et que toute tentative de les réduire à l'unité se solde par un échec complet, par un monumental contresens. Il faut tenir compte de ces deux natures simultanément: 'cette duplicité de l'homme est si visible qu'il y en a qui ont pensé que nous avions deux âmes. Un sujet simple leur paraissait incapable de telles et si soudaines variétés' (B. 417). Ceux-là se trompent moins que les premiers, à condition d'affirmer la coexistence permanente des deux natures.

(B) Misère

La première composante de cette mystérieuse dualité, c'est la misère. La contempler fait entrer Pascal 'en effroi comme un homme qu'on aurait porté endormi dans une île déserte et effroyable, et qui s'éveillerait sans connaître où il est, et sans moyen d'en sortir' (B. 693). L'homme sur terre est menacé par la nature, qui lui fait bien sentir son statut d'animal. Son esprit, trop faible pour lui faire entrevoir la vérité, lui dévoile néanmoins les deux vertigineux infinis de l'univers, dans lequel il ne peut se sentir à sa place. Enfin, il y a chez lui une misère morale, un égoïsme personnel et une totale indifférence au véritable bien. Pessimiste, Pascal a tendance à décrire toutes les faiblesses de l'homme avec une insistance particulière et un relief saisissant, cependant il n'affirme jamais que la misère, seule, représente la véritable nature de l'homme.

(C) Grandeur

Indissociable de la misère, la grandeur est tout aussi importante. On la remarque dans bien des circonstances. Au milieu même de la haine, de la concupiscence et du désordre les hommes ont réussi à instaurer une espèce d'ordre, 'un tableau de la charité' (B. 402), 'des règles admirables de police, de morale et de justice' (B. 453), qui, si elles n'enlèvent rien au fait que 'la force est la reine du monde' (B. 303), représentent au moins un contrôle exercé par la force sur elle-même et évitent aux sociétés humaines les plus grandes souffrances et la destruction. Mais, surtout, on constate la grandeur de l'homme dans le fait même qu'il a conscience de sa misère. L'insatisfaction qu'il éprouve à se sentir tel qu'il est lui révèle qu'il a autrefois connu un sort meilleur; et l'un des restes de sa grandeur passée, c'est la conscience qui le distingue des bêtes, cette 'pensée [qui] fait la grandeur de l'homme' (B. 346).

(II) Insuffisance des autres explications

Les religions et les philosophies ont parfois parlé de la nature humaine, mais de façon incomplète. 'Les uns, qui ont bien connu la réalité de son excellence, ont pris pour lâcheté et

pour ingratitude les sentiments bas que les hon
naturellement d'eux-mêmes ; et les autres, qui ont bi
combien cette bassesse est effective, ont traité d'une
ridicule ces sentiments de grandeur, qui sont aussi
à l'homme' (B. 431).

(A) Le scepticisme

Ce dernier reproche s'applique particulièrement
scepticisme. Celui-ci croit avoir connu notre natur
fait, il a bien compris la faiblesse de l'homme, 'capa
plus extravagantes opinions' (B. 374), totalement ign
totalement impuissant, et néanmoins persuadé de sa
puissance et de sa science infinie. Pascal reproche
conception de ne pas tenir compte de la grandeur,
décourager l'homme plus qu'il n'est besoin. En lui mo
trop sa faiblesse, on lui enlèvera l'envie d'en sortir
l'*Entretien avec M. de Saci,* Pascal montre que la lasci
Montaigne est un peu le résultat de cette attitude. (
p. 160). Le scepticisme, de plus, contient sa propre r
tion: si tous les hommes étaient pyrrhoniens et a
conscience de leur misère, le pyrrhonisme serait faux
en se connaissant misérable, l'homme révèle sa gran
'la faiblesse de l'homme paraît bien davantage en ceux c
la connaissent pas qu'en ceux qui la connaissent' (B.
Les sceptiques n'ont donc raison que dans la mesure
y en a qui ne sont point pyrrhoniens : si tous l'étaien
auraient tort' (B. 374).

(B) Le stoïcisme

Les stoïques, au contraire, ont bien connu la grandeu
l'homme, l'indépendance de sa volonté vis-à-vis des
dances du monde extérieur. Mais ils ont pris l'exception p
la règle. Parce que certains sages ont transcendé la condi
humaine, ils affirment que chacun peut en faire autant :
concluent qu'on peut toujours ce qu'on peut quelquef
et que, puisque le désir de la gloire fait bien faire à ceux q
possède quelque chose, les autres le pourront bien aussi'
350). En fait, le bon sens nous montre que 'ce que les Stoïq
proposent est [. . .] difficile et [. . .] vain' (B. 360), car
fondent leur morale absolutiste sur une notion fausse de
nature humaine. Si les sceptiques se révélaient incapab
de détruire 'la concupiscence qui [nous] attache à la ter
(B. 430) en oubliant notre grandeur, ceux-ci en revanche
nous montrent cette grandeur 'que pour exercer [notr
superbe' (*Id.*) ; autrement dit, ils sont impuissants à guér
la deuxième des 'maladies principales' (*Id.*) de l'humanit
et pour n'avoir pas la vérité tout entière, ils ne peuven
sortir davantage de l'erreur.

…trerons-nous plus de vérité en nous tournant …tenant vers les religions? Tout au contraire. Elles sont …iculièrement superficielles. La juive ne voit que l'homme …nel, et lui prédit un Messie 'temporel' (B. 607). La …enne ne s'intéresse qu'à l'aspect extérieur de l'homme et …homet est aussi 'ridicule' (B. 598) dans ses platitudes que …ns ses obscurités. Lui non plus n'a pas vu la double nature l'homme. Il ne conçoit que le terrestre, jusque dans son …radis, qui doit être une continuation des plaisirs de la …air.

…evant tant d'insuffisances, il n'y a que le christianisme qui puisse, si nous nous tournons vers lui, nous donner une réponse satisfaisante.

Seul, en effet, il explique la double nature de l'homme, à la fois grand et misérable. 'Les grandeurs et les misères de l'homme sont tellement visibles, qu'il faut nécessairement que la véritable religion [. . .] nous rende raison de ces étonnantes contrariétés' (B. 430). Cela, c'est la théologie du péché originel qui seule peut le faire. La grandeur de l'homme est sa nature d'avant la chute, telle que Dieu a voulu la lui donner. Sa misère, c'est celle de la créature déchue. 'Voilà l'état où les hommes sont aujourd'hui. Il leur reste quelque instinct impuissant du bonheur de leur première nature, et ils sont plongés dans les misères de leur aveuglement et de leur concupiscence, qui est devenue leur seconde nature' (B. 430). Par le sacrifice du Christ, Dieu offre aux hommes la possibilité de retrouver leur gloire première, par un rachat qui efface la chute.

Cette explication sans faille de la nature humaine n'est cependant pas une explication rationnelle que chacun puisse accepter sans hésitation, comme une évidence scientifique. Car le péché originel lui-même est une notion difficile à admettre, il est 'folie devant les hommes, [. . .] c'est une chose contre la raison' et la 'raison, bien loin de l'inventer par ses voies, s'en éloigne quand on le lui présente' (B. 445). Pour le comprendre, il faudrait percer 'le mystère le plus éloigné de notre connaissance, qui est celui de la transmission du péché'. En effet, 'qu'y a-t-il de plus contraire aux règles de notre misérable justice que de damner éternellement un enfant incapable de volonté, pour un péché [. . .] commis six mille ans avant qu'il fût en être' (B. 434)? Or, Pascal ne se le cache pas, sans explication de ce mystère, point de connaissance de notre nature: 'le nœud de notre condition prend ses replis et ses tours dans cet abîme' (*Id.*). Pouvons-nous dire encore que la religion chrétienne explique l'homme?

(c) Explication et solution

Qu'elle ait bien compris l'homme, cela a déjà été montré. Mais elle ne nous propose pas l'explication sur un plan rationnel. Elle nous l'offre en s'offrant à nous. Elle nous la donne si nous nous donnons. Parce que le péché originel est vérité de foi, Pascal, nous ayant conduits par la raison, exige maintenant de nous 'la simple soumission de la raison' (*Id.*), si nous voulons 'véritablement nous connaître' (*Id.*). C'est ici que s'effectue le relai entre les vérités de la raison et les vérités du cœur. Il nous faut embrasser la religion chrétienne et elle nous donnera en même temps la connaissance de notre mystérieuse nature et le remède pour échapper à la misère qui en fait partie. Nous avons vu que la faiblesse de ceux qui n'avaient pas compris l'homme se voyait à ce qu'ils étaient incapables de le faire sortir de sa condition. Quoi d'étonnant, alors, à ce que le christianisme nous donne à la fois l'explication et la solution de nos problèmes? 'La vraie nature de l'homme, son vrai bien, et la vraie vertu, et la vraie religion, sont choses dont la connaissance est inséparable' (B. 442).

Conclusion

Nous voyons que Pascal, voulant montrer la religion 'vénérable, parce qu'elle a bien connu l'homme', la montre en même temps comme 'aimable' (B. 187). Et en même temps que l''estime', il nous communique 'du désir pour la vérité d'une religion' qui offre aux faiblesses de l'homme 'des remèdes si souhaitables' (B. 450). Il répond aux libres penseurs de son temps en leur prouvant que, sur le plan rationnel, la religion chrétienne révèle une supériorité certaine par rapport aux philosophies païennes. Il y voit un critère de vérité. Mais il s'intéresse plus encore au fait que cette vérité nous met sur le chemin d'une rencontre personnelle avec la foi: 'la vraie religion doit avoir pour marque d'obliger à aimer son Dieu' (B. 491).

10

'Pascal, le seul humaniste digne de ce beau nom; le seul qui ne renie rien de l'homme; il traverse tout l'homme pour atteindre Dieu.' (F. Mauriac)

Introduction

Sensible au fait que l'auteur des *Pensées* montre la 'double capacité' qu'a chaque être 'de recevoir et de perdre la grâce, à cause du double péril où il est toujours exposé, de désespoir ou d'orgueil' (B. 524), F. Mauriac fait paradoxalement de 'Pascal, le seul humaniste digne de ce beau nom; le seul qui ne renie rien de l'homme', bref, le seul qui 'traverse tout l'homme pour atteindre Dieu'. Ainsi, l'apologiste de la religion chrétienne partagerait un idéal de sagesse qui montre partout la dignité de l'esprit humain, en met en valeur les qualités essentielles, et dont le fondement consiste en un acte de foi dans la nature de l'homme. Mais alors, comment concilier, d'une part, cette confiance très assurée avec la description de l'individu infiniment misérable que présentent les *Pensées* et, d'autre part, la recherche gémissante du Dieu caché sans qui la créature n'est rien, avec cette foi absolue en l'homme? Ce sont là autant de questions que soulève cette déclaration pour le moins surprenante.

(I) Pascal moraliste est anti-humaniste

En vérité, les jugements que porte Pascal sur le comportement de ses semblables sont d'une sévérité et d'un pessimisme si poussés que l'espèce humaine apparaît beaucoup plus méprisable que digne; tandis que le moraliste lui-même semble être un ennemi redoutable de l'humanisme, plutôt qu'un adepte convaincu de cette doctrine qui prend pour fin l'individu et son épanouissement.

(A) L'être pensant est impuissant

Selon Pascal, en effet, l'être pensant est impuissant. Pourquoi? Parce que la raison 'ployable à tous sens' (B. 274) est corrompue. Pour s'en persuader, il suffit d'observer la diversité injustifiable de 'tant de différentes et extravagantes mœurs' (B. 440). La connaissance des choses est donc 'bornée' (B. 208) et non point illimitée et exaltante, puisque 'l'homme n'est qu'un sujet plein d'erreur, naturelle et ineffaçable'. Et le fait est que 'tout l'abuse': 'les sens abusent la raison par de fausses apparences, et cette même piperie qu'ils apportent à la raison, ils la reçoivent d'elle à leur tour : elle s'en revanche. Les passions de l'âme troublent les sens, et leur font des impressions fausses. Ils mentent et se trompent à l'envi' (B. 83). Et c'est ainsi que l'être humain, 'incapable de savoir certainement et d'ignorer absolument', est en proie à un 'désespoir éternel de connaître', et que son 'état véritable' est tel qu'il l'empêche de 'voir le néant d'où il est tiré, et l'infini où il est englouti' (B. 72). Rien donc n'est moins dans la tradition humaniste que ce procès de l'esprit trouvé inapte à penser juste.

(B) L'être agissant est perverti

Or cette 'impuissance à connaître les choses' (*Id.*) a pour conséquence que 'l'homme n'agit point par la raison, qui fait son être' (B. 439), car 'la raison a été obligée de céder' (B. 82): 'qu'y a-t-il de moins raisonnable', en effet, 'que de choisir, pour gouverner un Etat, le premier fils d'une reine? On ne choisit pas pour gouverner un vaisseau celui des voyageurs qui est de la meilleure maison'! La cause de ce 'dérèglement' (B. 320) général est que nos actions 'ne branlent presque que par [. . .] secousses' (B. 82) et que nos mœurs, étrangères à la vertu, sont profondément perverties. Et à ce propos, Pascal multiplie des exemples plus accablants les uns que les autres: 'toutes les occupations des hommes sont à avoir du bien', remarque-t-il; puis il ajoute: 'et ils ne sauraient avoir de titre pour montrer qu'ils le possèdent par justice, car ils n'ont que la fantaisie des hommes, ni force pour le posséder sûrement' (B. 436). Ailleurs, l'auteur des *Pensées* accuse 'la concupiscence et la force' d'être 'les sources de toutes nos actions' (B. 334) et pose cette question qui révèle le peu de confiance qu'il a dans l'être humain: 'mais où prendrons-nous un port dans la morale' (B. 383)? C'est qu'il s''étonne' chaque jour 'de voir que tout le monde n'est pas étonné de sa faiblesse. On agit sérieusement, et chacun suit sa condition, non pas parce qu'il est bon en effet de la suivre puisque la mode en est, mais comme si chacun savait certainement où est la raison et la justice. On se trouve déçu à toute heure; et, par une plaisante humilité, on croit que c'est sa faute, et non pas celle de l'art, qu'on se vante toujours d'avoir' (B. 374). Tant de perversion provient, en vérité, de ce que 'chacun est un tout à soi-même' et 'croit être tout à tous' (B. 457). Aussi, le moi est-il 'haïssable' (B. 455) et l'homme qui n'est que 'déguisement, que mensonge et hypocrisie, et en soi-même et à l'égard des autres' (B. 100), est-il tout à fait méprisable.

(C) Misère effroyable de l'homme

Et Pascal de peindre alors la misère effroyable des êtres qui tous sont sans valeur et dont 'le cœur' est 'creux et plein d'ordure' (B. 143) et la nature, 'corrompue' (B. 60). Car cet état est permanent, il est le propre de l'homme qui, à peine se trouve-t-il au 'repos, sans passions, sans affaire' et 'sans application' sent aussitôt 'son néant, son abandon, son insuffisance, sa dépendance, son impuissance, son vide'; tandis qu''incontinent', sortent 'du fond de son âme l'ennui, la noirceur, la tristesse, le chagrin, le dépit, le désespoir' (B. 131). Et rien qui nous puisse consoler! Ou plutôt si, il y a le divertissement; mais n'est-il pas lui-même 'la plus grande de nos misères' (B. 171)? L'homme n'est donc que bassesse et Pascal, s'opposant avec vigueur à l'optimisme manifesté par les humanistes, ne peut que déclarer: 'en voyant l'aveuglement et la misère de l'homme, en regardant tout l'univers muet, et l'homme sans lumière, abandonné à lui-même, et comme égaré dans ce recoin de l'univers, sans savoir qui l'y a mis, ce qu'il y est venu faire, ce qu'il deviendra en mourant, incapable de toute connaissance, j'entre en effroi comme un homme qu'on aurait porté endormi dans une île déserte et effroyable, et qui s'éveillerait sans connaître où il est, et sans moyen d'en sortir. Et sur cela j'admire comment on n'entre point en désespoir d'un si misérable état' (B. 693).

(II) Chrétien, Pascal est humaniste

C'est dire, par conséquent, que ce mépris du moraliste pour la nature humaine est contraire à la foi que les défenseurs de l'humanisme ont dans l'individu. Or cette divergence fondamentale, bien qu'irréductible, n'en détermine pas moins une même attitude à l'égard de l'homme, étant donné que c'est à partir de la misère des créatures que Pascal peut, en chrétien, découvrir cette grandeur des êtres à laquelle les humanistes n'ont jamais cessé de croire.

(A) La misère de l'homme prouve sa grandeur

L'auteur des *Pensées* explique effectivement qu''on n'est pas misérable sans sentiment', qu''une maison ruinée ne l'est pas' et qu''il n'y a que l'homme de misérable' (B. 399). Ce qui revient à dire que, puisqu' 'un arbre ne se connaît pas misérable', 'c'est donc être misérable que de [se] connaître misérable; mais c'est être grand que de connaître qu'on est misérable' (B. 397). Et toutes 'ces misères' décrites par le moraliste constituent par le fait les éléments d'une démonstration, car elles seules 'prouvent' la 'grandeur' (B. 398) de l'homme. Et c'est alors que, sans renier notre bassesse, Pascal peut parler de 'notre dignité' qui consiste 'à bien penser' (B. 347), c'est-à-dire à 'commencer par soi' (B. 146).

Connaissant sa nature corrompue, l'homme sait donc qu'il 'n'est qu'un roseau, le plus faible de la nature; mais [... qu'il] est un roseau pensant. Il ne faut pas que l'univers entier s'arme pour l'écraser: une vapeur, une goutte d'eau, suffit pour le tuer. Mais, quand l'univers l'écraserait, l'homme serait encore plus noble que ce qui le tue, puisqu'il sait qu'il meurt, et l'avantage que l'univers a sur lui; l'univers n'en sait rien' (B. 347).

(B) La grandeur de l'homme

Ainsi, l'individu n'est pas indigne d'estime puisque sa 'grandeur' n'est pas 'grande' uniquement 'en ce qu'il se connaît misérable' (B. 397), ce qui serait somme toute un bien négatif; elle se manifeste également dans la poursuite de la vraie nature, pour autant que ces 'misères' qui sont des preuves irréfutables de noblesse, 'sont misères de grand seigneur, misères d'un roi dépossédé' (B. 398). 'Car, précise Pascal, ce qui est nature aux animaux, nous l'appelons misère en l'homme; par où nous reconnaissons que sa nature étant aujourd'hui pareille à celle des animaux, il est déchu d'une meilleure nature, qui lui était propre autrefois' (B. 409). Et la dignité humaine se révèle, précisément, dans 'un instinct que nous ne pouvons réprimer, qui nous élève' (B. 411) et nous incite à 'la recherche [... du] souverain bien' (B. 73). De sorte que cette foi d'humaniste en l'homme dont Pascal fait preuve se confond nécessairement avec la foi en Dieu.

(C) Avoir foi en l'homme c'est avoir foi en Dieu

L'apologiste montre en effet que la 'recherche du vrai bien' (B. 462) qui fait toute notre grandeur est intimement liée à celle de Dieu, car 'la vraie nature de l'homme', la seule admirable et qui soit sans bassesse, 'et la vraie religion, sont choses dont la connaissance est inséparable' (B. 442). Et le fait est que Pascal prétend qu'il ne peut y avoir de dignité humaine dans un monde sans foi ni grâce. Et il remarque, à ce propos: 'le commun des hommes met le bien dans la fortune et dans les biens du dehors, ou au moins dans le divertissement. Les philosophes ont montré la vanité de tout cela, et l'ont mis où ils ont pu' (B. 462), ce qui prouve l'impossibilité où se trouve chacun de pouvoir s'élever et devenir grand et noble par ses propres forces. Il suffit, d'ailleurs, de regarder pour se convaincre qu''il n'y a rien sur la terre qui ne montre, ou la misère de l'homme, ou la miséricorde de Dieu; ou l'impuissance de l'homme sans Dieu, ou la puissance de l'homme avec Dieu' (B. 562). L'humanisme de Pascal n'est autre, par conséquent, qu'un espoir en Jésus-Christ qui est le médiateur entre les créatures déchues et Dieu, et sans qui 'il faut que l'homme soit dans le vice et dans la misère', alors qu'avec lui 'l'homme est exempt de vice et de misère. En lui est toute notre vertu et toute notre félicité. Hors de lui, il n'y a que vice, misère, erreurs, ténèbres, mort, désespoir' (B. 546).

(III) Le jansénisme exclut l'humanisme

L'humanisme pascalien apparaît donc comme la conséquence même de la misère de l'homme et comme une aspiration vers le Rédempteur. Mais alors, si la découverte de toute dignité et de toute noblesse et puissance humaines est soumise entièrement à l'obtention de la foi, cela n'implique-t-il pas que la grandeur de la créature dépend de la seule volonté divine? Et que, partant, la croyance en Dieu exclut la confiance en l'homme, ou, en d'autres termes, que l'humanisme est supplanté par le jansénisme?

(A) Sans la foi il n'y a pas de grandeur pour l'homme

Il est vrai que Pascal se plaît à répéter que sans la foi l'homme est sans excellence, qu'il 'est dans l'ignorance de tout, et dans un malheur inévitable. Car c'est être malheureux que de vouloir et ne pouvoir' (B. 389) montrer la dignité de l'esprit humain. Ce besoin de confiance qui n'est pas satisfait ne peut donc 'être rempli que par un objet infini et immuable, c'est-à-dire que par Dieu même' (B. 425). Et de la sorte, la seule attitude qui puisse être adoptée est celle d'une soumission absolue, d'un renoncement total à soi et qui consiste à 'tendre les bras au libérateur', après avoir été 'lassé et fatigué par l'INUTILE recherche du vrai bien' (B. 422). Ce qui est dire que la grandeur de l'homme échappe à l'homme et n'appartient qu'à Dieu.

(B) Or l'homme est 'dans l'éloignement de Dieu' (B. 194)

Or 'l'homme est déchu d'un état de gloire et de communication avec Dieu en un état de tristesse, de pénitence et d'éloignement de Dieu' (B. 613)! Il est 'égaré'. Il ne 'sait à quel rang se mettre'. Il cherche 'partout avec inquiétude et SANS SUCCES dans des ténèbres impénétrables' (B. 427), car '*Dieu s'est voulu cacher*' (B. 585) et rendre 'infiniment incompréhensible, puisque, n'ayant ni parties ni bornes, il n'a nul rapport à nous. Nous sommes donc incapables de connaître ni ce qu'il est, ni s'il est' (B. 233). Et en étant, ainsi, une conquête que la créature livrée à elle-même n'a pas le pouvoir de faire, quelque grande que soit sa volonté et aussi impérieux que soit son désir, la foi qui seule donne de la grandeur à l'homme rend beaucoup moins assurée cette confiance d'humaniste dont Pascal, un temps, avait semblé faire preuve.

(C) Le jansénisme triomphant

Et de fait, le jansénisme qui, selon F. Mauriac, 'enlève tout à l'homme pour ne diminuer en rien la puissance de l'Etre infini', supplante l'humanisme irrémédiablement. Les individus sont, en effet, 'incapables d'aller à Dieu' et d''avoir aucune communication avec lui', s'il 'ne vient à eux' (B. 286). Mais 'l'homme n'[étant] pas digne de Dieu' (B. 510), il n'est 'pas juste que tous voient la rédemption' (B. 449). Et même lorsqu'il sauve quelques créatures, Dieu leur témoigne 'une miséricorde qui ne leur est pas due' (B. 430). Si bien que, d'après cette conception janséniste de la grâce, l'homme n'est rien, même quand il lui est fait 'don' (B. 279) de la foi, puisque Dieu 'donne' alors aux élus 'l'amour de soi et la HAINE d'eux-mêmes' (B. 284). Dépossédé de tout, l'être humain, damné ou sauvé, ne peut avoir, par conséquent, que mépris pour soi-même. Et c'est ainsi que la rigueur logique du jansénisme triomphe de toute confiance d'humaniste en l'individu.

Conclusion

Dans le développement de la pensée pascalienne, l'humanisme apparaît donc comme une étape transitoire, en ce sens que l'affirmation de la grandeur de l'homme est en fait la conséquence immédiate que tire le chrétien de la misère longuement observée par le moraliste, et que, d'autre part, la même religion qui rend possible cette conception humaniste la détruit aussitôt, dans la mesure où elle fait de la créature un être de nature corrompue et dont tous les actes, même les plus vertueux d'apparence, sont foncièrement mauvais au regard du souverain juge. Ainsi, la foi en Dieu implique-t-elle un mépris total de l'individu dont l'unique grandeur consiste à savoir qu'il est misérable et à apprendre la haine de soi. Et humaniste, Pascal ne l'est guère que le temps de transformer sa condamnation morale d'un homme perverti et vain en un sentiment d'effroi que lui inspire la créature déchue et indigne de la bonté de Dieu. Aussi, l'humanisme pascalien qui est issu d'une vision de l'homme dépouillé de tout bien, débouche-t-il sur une autre vision d'un homme également dépouillé de tout bien.

TABLE DES MATIERES

10 'Nostre raison et nostre ame, recevant les fantasies et opinions qui luy naissent en dormant, et authorisant les actions de nos songes de pareille approbation qu'elle faict celles du jour, pourquoy ne mettons nous en doubte si nostre penser, nostre agir, n'est pas un autre songer et nostre veiller quelque espece de dormir?' (II, xii, *pléiade*, p. 581) 56

DESCARTES

1 'Il y a chez Descartes une leçon qui garde toute son actualité et qui est indépendante du contenu de sa philosophie.' (J.-M. Fataud) 61

2 'L'action de la pensée par laquelle on croit une chose étant différente de celle par laquelle on connaît qu'on la croit, elles sont souvent l'une sans l'autre.' (III, p. 23) 68

3 'Nous ne nous devons jamais laisser persuader qu'à l'évidence de notre raison.' (IV, p. 38) 74

4 'N'y ayant qu'une vérité de chaque chose, quiconque la trouve en sait autant qu'on en peut savoir.' (II, p. 21) 81

5 'La seule résolution de se défaire de toutes les opinions qu'on a reçues auparavant en sa créance, n'est pas un exemple que chacun doive suivre.' (II, p. 16) 87

6 'Il était du dessein de Descartes de nous faire entendre soi-même [. . .]. *Il s'agissait que nous trouvions en nous ce qu'il trouvait en soi.*' (P. Valéry) 93

7 'Plus qu'aucun autre philosophe, Descartes croit à l'intuition, aux imaginations fulgurantes, à l'enthousiasme poétique.' (A. Adam) 100

8 'La foi du philosophe dans la raison humaine le fixait dans une conception non-chrétienne, non-religieuse de l'homme. Le tragique des dogmes chrétiens, la folie de la croix, le scandale du Christ, ne lui échappent pas seulement dans sa vie personnelle. Sa philosophie y demeure imperméable. [. . .] Nulle place n'y est faite aux contradictions et aux conflits d'où jaillit le sentiment religieux chez un Pascal ou un Kierkegaard.' (A. Adam) 106

9 Descartes donne cette définition du *Discours de la Méthode*: 'une histoire, ou, si vous l'aimez mieux, [. . .] une fable.' (I, p. 5) 112